ANNA JANSSEN

TAROT

Dein Starterbuch

ANNA JANSSEN

TAROT

Dein Starterbuch

KÖNIGSFURT URANIA

Die in diesem Buch enthaltenen Informationen und Ratschläge wurden von der Autorin sorgfältig recherchiert und geprüft. Eine Garantie kann dennoch nicht übernommen werden. Die Informationen und Ratschläge sind außerdem nicht dazu gedacht, die Beratung durch einen Arzt oder Therapeuten zu ersetzen, sofern eine solche angezeigt ist. Eine Haftung der Autorin oder des Verlags ist ausgeschlossen.

Sollte diese Publikation Links auf Webseiten Dritter enthalten, so übernehmen wir für die Inhalte keine Haftung, da wir uns diese nicht zu eigen machen, sondern lediglich auf deren Stand zum Zeitpunkt der Erstveröffentlichung verweisen.

Bibliographische Information der Deutschen Nationalbibliothek
Die Deutsche Nationalbibliothek verzeichnet diese Publikation in der Deutschen Nationalbibliographie; detaillierte bibliographische Daten sind im Internet über http://dnb.d-nb.de abrufbar.

Originalausgabe
5. Auflage 2026

Königsfurt-Urania Verlag GmbH, Ringstr. 32, D-24103 Kiel
www.koenigsfurt-urania.com – info@koenigsfurt-urania.com

Covergestaltung: Antje Betken unter Verwendung des A.E. Waite Tarots, © Königsfurt-Urania Verlag, sowie der Motive von © Adobe Stock: Spiritual moon and celestial eye symbols © kotoffei und Celestial symbols for tarot, astrology © Tanya
Projektleitung und Lektorat: Dr. Jennifer Lorenzen-Peth
Satz und Layout: Antje Betken
Druck und Bindung: K-Print, Estland

Printed in EU

ISBN: 978-3-86826-572-9 (Buch einzeln)
ISBN: 978-3-86826-570-5 (Set mit Buch und Karten)

FSC www.fsc.org MIX Papier | Fördert gute Waldnutzung FSC® C107832

Inhalt

Die Kleine Arkana 90

Dein Weg zu dir mit Tarotkarten

Stell dir vor, du hast von nun an eine treue Begleiterin, eine richtig gute Freundin, der du wirklich alles erzählen und die du alles fragen kannst. Die dir endlos zuhört, dich nicht verurteilt und dir voller Liebe hilft, einen klaren Blick auf Situationen zu gewinnen. Die dir neue Aspekte aufzeigt, über die du selbst vielleicht noch nicht tiefer nachgedacht hast. Die dir Liebe schenkt, wenn du traurig bist, die dich so annimmt, wie du wirklich bist, und vor der du keine Geheimnisse haben musst. Bei der du vollständig du selbst sein kannst. Mit all deinen wunderbaren kleinen Schwächen und deinen großartigen Talenten. Die jedoch auch schonungslos ehrlich zu dir ist, weil sie dir helfen will, dich weiterzuentwickeln, für deine wahren Werte einzustehen, deinen echten Herzensweg zu gehen und ein Leben zu führen, mit dem du glücklich bist.

Herzlichen Glückwunsch! Die Tarotkarten möchten diesen Platz in deinem Leben einnehmen. Sie sind dabei nicht nur eine Freundin, sondern auch eine Mentorin. Denn sie regen dich zum Nachdenken an, geben dir kreative Impulse und stellen dir Fragen, um dich selbst besser kennenzulernen. Und das ganz ohne Terminbuchung.

Ich freue mich wahnsinnig, dass du gerade dieses Buch und Tarotkarten in deinen Händen hältst, denn damit haben sie ihren Weg zu dir gefunden – ***let the magic begin***! Mit diesem Buch lernst du, wie du

- ★ Deiner inneren Stimme vertraust und deine Bedürfnisse ernst nimmst
- ★ Deine Beziehung zu dir selbst und zu Anderen verbesserst
- ★ Mehr Liebe in dein Leben ziehst
- ★ Mit mehr Lebensfreude durchs Leben gehst

- Starke Entscheidungen triffst
- Chancen erkennst und dich auf Möglichkeiten anstatt auf Probleme fokussierst
- Dich mit deinen wahren Werten und Wünschen verbindest
- Deine Träume manifestierst
- Dich traust, an kleine und große Wunder zu glauben
- Dich von deiner Inspiration beflügeln lässt
- Dich wunderbar befreit fühlst, wenn du dich traust, wirklich DU zu sein

Und das alles durch und mit den 78 faszinierenden Karten des Tarot von A.E. Waite & Pamela Colman Smith!

Was sind Tarotkarten?

Tarotkarten sind die weltweit beliebtesten und bekanntesten Symbolkarten. Ursprünglich als Kartenspiel verwendet (s. Kapitel „Eine kleine Geschichte zur Entstehung der Tarotkarten"), werden sie ab dem 18. Jh. wahrsagerisch und später eher psychologisch gedeutet.

Das Tarotdeck von Waite & Smith besteht aus 78 Karten. Diese sind in 2 Gruppen unterteilt: Die **Große Arkana** und die **Kleine Arkana**. Die Große Arkana umfasst 22 Karten, deren Bilder größere Themen in deinem Leben repräsentieren. Die Kleine Arkana besteht aus 56 Karten, die eher alltägliche Situationen symbolisieren. Diese 56 Karten sind in die 4 Symbolreihen **Schwerter, Münzen, Stäbe und Kelche** aufgeteilt. Es gibt also 14 Schwerterkarten, 14 Münzkarten, 14 Stäbekarten und 14 Kelchekarten. Die 14 Karten eines jeden Symbols setzen sich aus 10 Zahlenkarten (Ass bis 10) und 4 Hofkarten (**Page, Ritter, Königin und König**) zusammen. Die Kleine Arkana ist also ähnlich aufgebaut wie ein Spielkartendeck.

Das Wort „Arkana" bedeutet übrigens Geheimnis. Bist du bereit, die Geheimnisse deines Lebens zu entschlüsseln?

Let's start!

Dieses Buch und die Karten liegen in deinen Händen. Als ich mit Tarot anfing, habe ich mich für das klassische Tarot von A.E. Waite, gemalt von Pamela Colman Smith, entschieden – und bin dabeigeblieben. Auch wenn es auf den ersten Blick modernere oder fantasievollere Decks gibt, würde ich mich immer wieder für das Tarot von Waite & Smith entscheiden. Ich arbeite so gerne mit diesen Karten, da ich ihre Symbolik klar und einleuchtend empfinde, genauso wie ich ihre vielen kleinen Details und versteckte Hinweise liebe (davon entdecke ich immer noch neue!). Außerdem gefällt mir die Farbgebung der Tarotkarten – vor allem das strahlende Sonnengelb, das Hoffnung und Freude verbreitet. Diese Karten sind der Klassiker unter den Tarotkarten und meiner Meinung nach das perfekte Deck zum Starten und Lernen. Es ist dabei faszinierend zu sehen, wie die traditionellen Bilder wichtige Learnings für die heutige, moderne Welt vermitteln. Also, leg dir dein Kartendeck bereit und los geht's!

Legemuster

Legemuster, auch „Spreads" genannt, helfen dir, deine Fragestellungen ausführlich zu beantworten, Zusammenhänge zu deuten und Licht in das Dunkel komplizierter Situationen zu bringen.
Natürlich kannst du jederzeit nur eine Karte als **Tageskarte, Wochenkarte** oder **Stimmungskarte** ziehen. Das geht schnell, ist einfach und gibt dir einen wertvollen Impuls.
Fragen, die du dabei an das Tarot stellen kannst, sind zum Beispiel: **Worauf kann ich heute meinen Fokus richten? Was ist heute wichtig? Welche Botschaft hast du heute für mich? Wie fühle ich mich gerade? Was passiert gerade so?**
Tarotkarten können jedoch noch viel mehr. Deswegen ist es sinnvoll, auch ein Legemuster zu nutzen. Mein absolutes

Lieblingslegemuster ist das Keltische Kreuz, da es einfach ist und dir einen umfassenden Blick auf deine Situation verschafft. Ich nutze es für fast alle meine Legungen, weil es sich für viele Fragestellungen eignet.

Das Keltische Kreuz

Das Keltische Kreuz wird mit **10 Karten** gelegt.
Karte 1 beschreibt deine Situation.
Karte 2 wird quer über Karte 1 gelegt. Sie beschreibt etwas, das deine Situation beeinflusst.
Karte 3, die du links von Karte 1 legst, zeigt dir die Vergangenheit auf. Etwas aus deiner Vergangenheit, das wichtig ist für das Verstehen deiner heutigen Situation.
Karte 4, die Karte unter Karte 1, symbolisiert die Wurzel deiner Situation. Eine Ursache, die für dich vielleicht noch im Verborgenen lag.
Karte 5, die Karte über Karte 1, symbolisiert die Krone der Situation – das Gute an dieser Situation oder das, was es auf die Spitze treibt.
Karte 6 steht für das, was auf dich zukommt. Häufig ist dies teils schon da oder du fühlst es bereits.
Karte 7 beschreibt dich in der aktuellen Situation.
Karte 8 zeigt dir, wie Andere dich in dieser Situation sehen.
Karte 9 beschreibt deine Ängste und/oder Hoffnungen (Was gemeint ist, wird dir beim Betrachten deiner gezogenen Karte klar. Bei einigen Karten wirst du hier ganz deutlich merken: Es geht um meine Ängste, bei anderen, dass es um deine Hoffnungen geht. Und manche Karten werden dir beides gleichzeitig spiegeln).
Karte 10 zu guter Letzt zeigt dir das wahrscheinliche Resultat/den Ausgang dieser Situation.
Ich habe die Erfahrung gemacht, dass das nicht in Stein gemeißelt ist. Vor allem, wenn dir die Karten 1 bis 9 deutlich machen,

dass du etwas an deiner aktuellen Strategie ändern solltest, ist die 10. Karte veränderbar. Denn wenn du dein Verhalten änderst, wird sich auch das Ergebnis ändern.

Lass dich also nicht von Karte 10 verunsichern, falls sie dir nicht gefällt. Schau sie dir dennoch an und ergründe, was sie dir sagen möchte.

Wenn du die zehnte Karte nicht verstehst oder nicht annehmen kannst, ziehe noch ein bis zwei weitere Karten als Erklärungskarten zu Rate.

Die Drei-Karten-Methode

Wenn ich nicht so viel Zeit habe, nutze ich auch schon mal die Drei-Karten-Legemethode. Bei dieser Methode ziehst du **3 Karten** zu deiner Situation. **Karte 1** repräsentiert die Vergangenheit. **Karte 2** steht für die Gegenwart. **Karte 3** gibt einen Hinweis auf die Zukunft.

Das Liebesorakel

Diese Methode ist spannend und aufschlussreich, wenn du gerade jemanden kennengelernt hast, der oder die dir gefällt, oder ihr euch schon datet. Vielleicht bist du dir unsicher, wie die andere Person zu dir steht, wie du selbst eigentlich in Bezug auf die andere Person fühlst, und wünschst dir einen Vorschlag zum weiteren Vorgehen. Du ziehst für diese Methode **4 Karten**.

Karte 1 symbolisiert das Thema eurer Beziehung oder deine Frage zu eurer Beziehung.

Karte 2 steht für deine Sichtweise: Hoffnungen, Ängste, Wünsche, Sehnsüchte oder deine Erwartungshaltung.

Karte 3 repräsentiert, wie du die Haltung und Gefühle der anderen Person dir gegenüber interpretierst.

Karte 4 gibt dir einen Rat dazu, wie du dich verhalten kannst oder mit welchem Mindset du an die Beziehung herangehen kannst.

Das Rad des Lebens-Spread

Dieses Legemuster verschafft dir einen umfassenden Einblick in die verschiedenen Bereiche deines Lebens. Es zeigt dir auf, welche Themen dich gerade in der Liebe, Beruf, Gesundheit usw. beschäftigen, wie zufrieden du dich in dem jeweiligen Lebensbereich fühlst, und gibt dir Hinweise, wie du zu mehr Erfüllung in den einzelnen Lebensbereichen gelangst. Dazu ziehst du insgesamt **10 Karten** und ordnest diese in einem großen Kreis an – eine Karte für jeden Bereich deines Lebens:

Karte 1 repräsentiert die Liebe und Beziehung.
Karte 2 die Familie.
Karte 3 deine Freundschaften.
Karte 4 deinen Beruf und deine Berufung.
Karte 5 steht für deine Freizeit und deine Hobbys.
Karte 6 für Wohnen und Finanzen.
Karte 7 steht für deine Gesundheit, dein Wohlbefinden und die Beziehung zu deinem Körper.
Karte 8 steht für Abenteuer und Reisen.
Karte 9 für deine persönliche Weiterentwicklung und Spiritualität.
Karte 10 schließlich repräsentiert dein Geschenk, deinen Beitrag für diese Welt.

Seelenreise-Spread

Wenn du es spannend findest, mehr über deine Berufung und deine Seelenaufgabe zu erfahren, kann dieses Legemuster dir wertvolle Einsichten verschaffen. Vielleicht wirst du ja auch das Gefühl nicht los, früher schon einmal in einem anderen Leben gelebt zu haben. Für dieses Legemuster ziehst du **3 Karten**.
Karte 1 zeigt dir, wo deine Seele herkommt, wer du in einem früheren Leben warst.
Karte 2 zeigt dir, wo deine Seele hinwill, was deine Seelenaufgabe in diesem Leben ist.
Karte 3 schließlich gibt dir Impulse, was dieses Jahr auf deiner Seelenreise auf dich wartet.

Offene Karten ziehen

Diese Methode eignet sich besonders gut für Anfänger*innen und ist hervorragend geeignet, um die Karten besser kennenzulernen. Du nimmst dafür den Kartenstapel in die Hand und siehst dir die Karten nacheinander mit dem Bild nach oben an. Welche Karten sprechen dich an? Welche hingegen möchtest du lieber nicht ziehen? In welchen Karten erkennst du dich selbst oder eine Situation aus deinem Leben wieder? Folge deinem Gefühl und suche dir **1 bis 3 Karten** aus, deren Bedeutungen du dann in diesem Buch nachliest.
Die Fülle an Legemustern und Spreads ist unendlich. Die Auswahl, die ich dir hier vorgestellt habe, hat sich meiner Erfahrung nach bewährt und ist sehr gut geeignet, um in den tieferen Kontakt mit dir selbst zu kommen und Antworten auf die Fragen zu finden, die dich beschäftigen.

Wie du dich auf ein Reading vorbereitest

Ich möchte dir in diesem Buch in erster Linie vermitteln, wie du die Karten für dich selbst nutzen kannst. Natürlich kannst du, wenn du dich nach dem Lesen und dem Ausprobieren schon sicherer fühlst, auch Karten für Andere legen. Wichtig ist dabei nur, dass du ehrlich bist. Wenn du dir der Bedeutung von einer Karte zum Beispiel nicht sicher bist, nimm das Buch zur Hand, um nachzuschauen.

Aber wie gesagt, hier geht es jetzt erst einmal um dich. Lass uns doch mal schauen, wie du aus dem Kartenlegen eine wundervolle **Self-Care Routine** kreieren kannst. Das allererste Gebot ist, dass du dir **Zeit** nimmst – mindestens eine halbe Stunde. Zieh dich an einen Ort zurück, an dem du ungestört bist und dich wohlfühlst. Mach dir vielleicht noch eine leckere Tasse Tee, wenn du magst. Zünde gern eine Kerze an, oder erschaffe dir einen **magischen Tarot-Tisch**. Dafür brauchst du vier Gegenstände, die die vier Elemente Wasser, Feuer, Erde und Luft repräsentieren: zum Beispiel ein Glas gefüllt mit Wasser, eine brennende Kerze, (Edel-)Steine und Räucherstäbchen.
Lege dir, wenn du magst, dein **Journal** oder etwas zum Schreiben bereit. Notizen sind sehr wertvoll für deinen Lernprozess, um die Karten besser kennenzulernen und um später auf die Legung zurückschauen zu können.
Ich fotografiere jede Legung mit meinem Smartphone, um mir später alles noch einmal ansehen zu können und über tiefere Bedeutungen und Zusammenhänge nachzudenken. Die volle Bedeutung einer Legung wird mir oft erst einen oder ein paar Tage später klar.

Mische die Karten –wie du das tust, ist dir überlassen. Wenn du auch umgekehrte Karten deuten möchtest, kannst du die Karten am besten auf dem Tisch ausbreiten und durchmischen – so wie beim Memory spielen. Danach nimmst du sie wieder als Stapel auf die Hand und mischst dort noch ein bisschen weiter.
Denke zu Beginn an das Problem, das dich beschäftigt, an die Fragen, die du hast.
Überleg dir spätestens jetzt, welches Spread du nutzen möchtest. Mische noch ein bisschen weiter und versuche ganz ruhig zu werden, dich einfach nur auf das Mischen zu konzentrieren – lass deine Frage los.
Wenn dir beim Mischen einzelne Karten herausfallen, schau sie dir unbedingt an und leg sie an den Rand deines Legetisches. Sie beinhalten oft wichtige Zusatzinformationen, die einen Bezug zu deiner Situation haben. Ziehe dann die Karten und lege sie nach deinem gewählten Legemuster.

Wie du bei der Deutung vorgehst

Nachdem du alle Karten in dein Legemuster gelegt hast, kannst du Schritt für Schritt anfangen, die einzelnen Karten der Reihe nach zu deuten. Lies dir dafür die Bedeutungen der Karten durch. Jede Karte schenkt dir Fragen, die dich zum Nachdenken anregen. Außerdem bekommst du von mir zu jeder Karte **praktische Tipps**, die du direkt umsetzen kannst.
Um deiner Deutung noch mehr Tiefe zu verleihen, beschreibe ich auch die Bedeutung der **umgekehrten Karten**, das sind Karten, die nach dem Aufdecken auf dem Kopf liegen. Du darfst selbst entscheiden, ob du dir diese Deutung ansehen magst oder die Karte lieber richtig herumdrehst.

Nicht jeder Tarotfan deutet umgekehrte Karten. Traditionell wurde ihre Bedeutung einfach als Gegenteil der aufrechten Karte verstanden; manche machen bei der Deutung keinen Unterschied. Ich möchte dir jeweils einen neuen Aspekt der umgekehrten Karte aufzeigen, die oft auf blockierte Energien oder auch eine Verstärkung des Themas hinweist.
Versuche danach, Zusammenhänge zwischen den Karten zu erfassen. Zum Beispiel bei der **Drei-Karten-Legung** Vergangenheit/Gegenwart/Zukunft: Welche Auswirkungen hat Karte 1 (Vergangenheit) auf Karte 2 (Gegenwart)? Vielleicht erkennst du nicht überall Zusammenhänge, und das ist völlig normal.
Versuche als **Abschluss zu jeder Legung eine Geschichte** zu erzählen, in welcher du deine Fantasie und Kreativität sprudeln lassen darfst. Folge den Karten in der Reihenfolge des Legemusters und erzähle eine verbindende Geschichte. Du kannst dabei zum Beispiel benennen, was du auf der Karte siehst, was das deiner Meinung nach für dich bedeutet und wie es die nächstfolgende Karte beeinflusst. Falls es dir schwerfällt anzunehmen, was die Karten sagen, zoom dich ein wenig heraus und erzähle einfach nur die Geschichte, die dir zu den Karten einfällt, ohne diese auf dich zu beziehen

Eine kleine Geschichte zur Entstehung der Tarotkarten

Bevor du nun gleich loslegst, dich mit den Karten zu befassen, möchte ich dir gern noch ein wenig zur Geschichte des Tarot erzählen. Die nachweisbaren Ursprünge des Tarot gehen zurück in das 14. Jahrhundert. Vermutlich kreierten die Mamelucken im arabischen Raum zunächst Spielkarten mit Stäben, Kelchen, Münzen und Schwertern – hier liegen die Wurzeln der Kleinen Arkana (lat. Arkana: Geheimnis). Diese wurden später zu Herz, Pik, Kreuz und Karo.

Italienische Künstler entwarfen im 15. Jahrhundert sogenannte „Trumpfkarten" und fügten sie zu den Spielkarten dazu: Auf diesen waren reich illustrierte Bilder mit Personen zu sehen, die bereits schon die bekannten Figuren des Tarot zeigen – der Ursprung der Großen Arkana. Die ältesten erhaltenen Karten sind das sogenannte Visconti-Sforza-Tarot von 1428. Die Karten wurden zu dieser Zeit tatsächlich als Spielkarten genutzt und reiche Familien engagierten Künstler, um Decks mit Bildern ihrer eigenen Familienmitglieder anfertigen zu lassen. Die Bilder sollten alltägliche Situationen zeigen und zum Geschichten erzählen anregen – so ähnlich kannst du das Tarot auch auf moderne Art für dich nutzen: Du erkennst dich in den Karten wieder und kannst dir deine eigene Geschichte über dich erzählen.

Diese Karten wurden jedoch nur zum Spielen verwendet, bis im Jahr 1781 der Franzose Antoine Court de Gebelin eine fundierte Analyse der Symbolik des Tarot veröffentlichte und meinte, in ihm ein altes Weisheitsbuch erkannt zu haben. Ihm zufolge liegen die Ursprünge der Symbolik im alten Ägypten – ob dies wirklich stimmt, ist jedoch bis heute ungewiss. Im Jahr 1791 veröffentlichte Jean-Baptiste Alliette das erste Tarotdeck zum Wahrsagen. Zu dieser Zeit war Okkultismus und Spiritualität sehr hip und verbreitet in der Gesellschaft – vor allem in der wohlbetuchten Society.

Im Jahr 1909 war schließlich die Geburtsstunde des Tarot von A.E. Waite. Der mystische Brite Arthur Edward Waite gab dieses Deck im Verlag William Rider heraus. Diejenige, die dieses Deck kreiert und die Bilder erschaffen hat, blieb ungerechterweise anonym: die New-Yorker Künstlerin Pamela Colman Smith bekam kaum Geld für ihr Werk und verstarb wenig später. Dabei hat sie etwas so Wundervolles geschaffen – sie war die Erste, die den Karten der Kleinen Arkana ein richtiges Gesicht gab, indem sie auch diese Karten mit Personen illustrierte.

Du siehst also, dass das Tarot in früheren Zeiten schon verbreitet war in der Gesellschaft – erst als unterhaltsames und bereits kreatives, zum Reflektieren anregendes Spiel und später, um das Schicksal zu begreifen und vorauszusagen. Meiner Meinung nach ist die moderne Nutzung des Tarot eine Kombination aus den besten Aspekten seiner spannenden Geschichte: ein Tool, das dich auf deinem Weg begleitet und dir Einsicht in deine innere Welt schenkt, wodurch du Zusammenhänge erkennst und Erklärungen findest. Ein Spiel, das deinen Einfallsreichtum und Gestaltungsfreiraum zum Finden von Lösungen empowert. Verabschieden wir uns dabei von der Vorstellung, dass das Leben vorhersehbar, kontrollierbar und in Stein gemeißelt ist, sondern dass du selbst die eigenverantwortliche, kraftvolle Schöpferin deines eigenen Lebens bist, hat das Ganze auch mit Wahrsagen nicht mehr viel zu tun.

FAQ

Gibt es gute und schlechte Karten? Nein. Jede Karte enthält wichtige Botschaften und *Learnings*. Mit Sicherheit wirst du einige Karten lieber mögen und dann möglicherweise auch hoffen, diese zu ziehen. Wichtig ist aber, dass du dich auch den Karten öffnest, dessen Bilder dir weniger gefallen, und dich traust, auch ihre Deutung zu betrachten.

Kann das Tarot mir meine Zukunft voraussagen? Nein und ja. Du bist selbst für dein Leben verantwortlich und bestimmst durch deine Entscheidungen und Handlungen deine Zukunft. Die Tarotkarten können jedoch dein Wegweiser sein, dich auf blinde Flecke aufmerksam machen, dir helfen, dich damit auseinanderzusetzen, was du dir wünschst. Sie helfen dir, deine Zukunft zu visualisieren und unterstützen dich dadurch beim Manifestieren. Sie unterstützen dich, deine eigene Geschichte zu erzählen und damit in der Gegenwart zu erkennen, warum deine Vergangenheit genau richtig war. Häufig siehst du deswegen in den Karten Dinge, die für dich in der Gegenwart und Zukunft Bedeutung haben. Dein Schicksal steht jedoch nie fest, du hast jederzeit die Möglichkeit, einzugreifen und etwas zu ändern. Die Karten sagen dir also nicht deine Zukunft voraus, sondern helfen dir, deine Zukunft so zu gestalten, wie du es dir wünschst.

Kann das Tarot mir verraten, ob er oder sie mich mag? Schwierige Frage. Ich habe es geliebt, als Jugendliche und auch später in Phasen, in denen ich Single war, dem Tarot Fragen wie: „Was empfindet er für mich?" „Warum verhält er sich so komisch?" oder „Werden wir ein Paar?", zu stellen. Häufig in Situationen, in denen ich mich hilflos und verzweifelt fühlte, weil es nicht so lief, wie ich es mir wünschte, und ich eigentlich schon wusste, dass es nix wird. Ich wünschte mir dann vom Tarot eine Erklärung und hoffte irgendwie auf schöne Karten. Wenn es schlecht lief, spiegelte sich dies auch in den Karten wider. Ich habe dadurch viel gelernt darüber, wer zu mir passt und was mir wirklich wichtig ist in einer Beziehung. Das Tarot kann nicht in den Kopf einer anderen Person gucken, es kann dir allerdings viel verraten über dich selbst, wodurch du deine Beziehungen erfüllter gestalten kannst.

Für welche Zwecke kann ich das Tarot verwenden? Tarot ist so vielfältig, dass mir fast täglich neue Anwendungsmöglichkeiten einfallen. Hier meine *Favorites:* spirituelles Self-Care-Ritual, Wegweiser, dich selbst besser kennenlernen, persönliche Weiterentwicklung und Coaching, Female Empowerment, Visualisieren und Manifestieren, Storytelling, Brainstorming, tiefe Problemanalyse und Finden von Lösungen, Beziehungspflege (Kartenlegen zusammen mit Lieblingsmenschen zu Themen, die euch beide betreffen).

Kann ich den Karten meine eigene Bedeutung geben? Ja! Du sollst sogar. Dieses Buch ist entstanden, weil ich den Karten meine eigene Bedeutung gegeben habe, und genau das kannst du auch. Vielleicht bist du ab und zu nicht mit meiner Deutung einverstanden, siehst und interpretierst andere Dinge für dein Leben. Schreib sie auf und führe ein Tarot-Tagebuch, um die Karten noch mehr zu deiner ganz persönlichen Begleiterin zu machen. Vielleicht siehst du auch in manchen Karten gewisse Personen. Ich deute das manchmal an, jedoch hat dieses Buch den Fokus, die Karten auf dich selbst zu beziehen.

Welche Fragen kann ich dem Tarot stellen? Eigentlich kannst du Tarot jede Frage stellen, die dich beschäftigt. Offene Fragen funktionieren am besten, da das Tarot dir Wege aufzeigen will, dir Geschichten erzählen möchte und dir andere Blickwinkel ermöglichen möchte. Geschlossene Fragen, also solche, auf die es nur eine Ja/Nein-Antwort gibt, sind eher ungeeignet. Ich möchte dich außerdem dazu ermutigen, dem Tarot Fragen zu stellen, die deinen eigenen Handlungsspielraum vergrößern, anstatt dich von unkontrollierbaren Faktoren abhängig zu machen, denn dann kann es dich optimal unterstützen bei deinem wundervollen Abenteuerpfad des Lebens. Wenn du die Antworten des Tarots nicht verstehst oder nicht magst, liegt es häufig daran, dass deine Frage nicht die passende war. Hier mal ein paar Beispiele von powervollen Fragen vs. abhängigen Fragen:

1. **Was kann ich tun, um in Zukunft eine glückliche Partnerschaft zu führen?** vs. Treffe ich bald endlich meinen Traummann?
2. **Was kann ich aus dieser Situation lernen?** vs. Wann hört der Schmerz endlich auf?
3. **Welche neuen Chancen eröffnen sich für mich dadurch, dass es anders gelaufen ist als geplant?** vs. Warum immer ich?
4. **Was ist mir wirklich wichtig (in einer Beziehung, im Job ...)?** vs. Was kann ich tun um ihm/ihr zu gefallen? Wie kann ich meinen Chef beeindrucken?

Wenn du selbst Schwierigkeiten hast, Fragen zu formulieren, nutze die Fragestellungen in den zahlreichen Spreads, die es gibt. Du findest auf meinem Instagram Account noch mehr Spreads.

Was ist, wenn ich keine konkrete Frage habe? Das passiert mir oft. Wähle dann einen Lebensbereich oder ein Thema, das dich beschäftigt. Die Karten schenken dir tiefere Einsichten in deine Situation und Input zum Nachdenken. Es ist übrigens auch ganz normal, dass dir die volle Bedeutung deines Readings erst im Nachhinein klar wird.

Die Grosse Arkana

Die **Große Arkana** beschreibt eine Reise durch die Höhen und Tiefen des Lebens. Du kannst dir das vorstellen wie deine (Wieder-)Geburt mit der Karte Null, dem Narren, bis hin zur Vollendung, dem Ganzwerden mit der 22. Karte, der Welt. Unterwegs triffst du auf die unterschiedlichsten Gestalten, in denen du dich wiedererkennst und dabei den Kreislauf deiner persönlichen Entwicklung durchläufst. Du entdeckst unter anderem die Geheimnisse der Spiritualität, der Dankbarkeit und des Loslassens auf deinem Weg.
Die Karten der Großen Arkana stehen generell für größere, übergeordnete Themen in deinem Leben. Das bedeutet jedoch nicht, dass sie wichtiger sind als die Karten der Kleinen Arkana. Denn häufig erzielen wir nachhaltige Veränderungen in die gewünschte Richtung ja eher mit kleinen, ausdauernden Schritten im Alltag. Nichtsdestotrotz lohnt es sich, den Karten der Großen Arkana in deiner Legung besondere Beachtung zu schenken. Häufig liegt hier das Problem bei der Wurzel und sie geben dir wichtige Botschaften für deine persönliche Entwicklung.

0 Der Narr

Jetzt ist die Zeit für:
Mutig losgehen, Leichtigkeit leben, die Vergangenheit hinter dir lassen, Urteile loslassen, den Moment genießen

Diese Karte ist die allererste im Tarot. Ein junger Mann schreitet völlig befreit und voller Vertrauen seinen Weg entlang. Die Arme sind ausgebreitet, fast so, als würde er schweben. Er reist mit leichtem Gepäck und wird von einem fröhlichen kleinen Hund begleitet. Diese Karte ist wundervoll, denn sie steht für das Hier und Jetzt. Alles andere zählt nicht. Stell dir vor, deine Vergangenheit gäbe es nicht und deine Zukunft wäre ungewiss. Jegliche Schuldgefühle, Scham, Vorwürfe an dich selbst sowie die Erwartungen Anderer an dich sind gelöscht. Deine Zukunft wäre noch nicht durchgeplant. Fühlst du diese Freiheit? Was würdest du tun?

Ich muss bei dieser Karte an ein Buch denken, welches ich mal gelesen habe. Die Autorin macht darin ein Gedankenexperiment: Sie stellt sich vor, sie hätte noch genau ein Jahr zu leben. Das hat einen großen Einfluss auf die Entscheidungen, die sie von nun an trifft. Es ist plötzlich nicht mehr wichtig, was Andere von ihr denken oder dass sie scheitern könnte bei dem, was sie tut. Denn hey, in einem Jahr ist sie tot. Von da an trifft sie Entscheidungen aus ihrem Herzen heraus. Mir hat dieses Buch wirklich die Augen geöffnet!

Der Narr hat die Botschaft an dich, das zu tun, wovon du immer geträumt hast. Das, was du wirklich tun willst, ohne Angst vorm Scheitern und vorm Urteil Anderer. Er möchte dir auch sagen, nicht mehr über die Vergangenheit nachzudenken und

Sorgen sowie eine strikte Planung der Zukunft loszulassen. Sei achtsam im Hier und Jetzt und mach dich frei von Urteilen – allen voran von deinen eigenen Urteilen.

Zu mir kam *der Narr* zu einer Zeit, als ich noch in Trauer war über eine Beziehung, die ich beendet hatte. Ich wünschte mir, diese Entscheidung rückgängig machen zu können, um zurückzukehren in meine heile Welt mit geplanter Zukunft. *Der Narr* machte mir Mut, dass in meiner Entscheidung doch etwas Gutes liegen musste. Ich ging los, auf eine spannende Reise, um mein eigenes wahres Leben zu erschaffen. Wenn ich nun zurückblicke, bin ich heute viel mehr ich selbst.

Der Narr – umgekehrt

Du verschließt deine Augen vor etwas, von dem du intuitiv schon weißt, dass es dir nicht guttut. Entweder handelst du selbst nicht im Einklang mit deinen Werten oder verdrängst deine eigenen Bedürfnisse. Vielleicht gibt es auch eine Beziehung in deinem Leben, in der du Dinge duldest, die du eigentlich nicht möchtest, die deine Grenzen überschreiten und dir wehtun. Um den Frieden zu wahren oder damit diese Person bei dir bleibt. Um den Schein der heilen Welt aufrechtzuerhalten. Jetzt ist die Zeit gekommen, die Augen zu öffnen und das zu akzeptieren, was wirklich los ist. Zieh die Konsequenzen, die nötig sind, um nach deinen ehrlichen Werten leben zu können.

Wie du die Narrenenergie in dein Leben holst

1. Stell dir doch auch einmal vor, dass du von nun an nur noch ein Jahr zu leben hättest.
   Was würdest du tun?
   Welche **Entscheidungen** würdest du treffen?
   Wie fühlt sich das an?
   Mit wem würdest du deine noch verbleibende Zeit verbringen?

2. Stell dir vor, du wärst heute neugeboren und so, wie du jetzt und hier bist, soeben auf diese Erde gekommen. Deine Vergangenheit existiert nicht, du fängst bei **Null** an. Betrachte deine Umwelt neugierig. So, als hättest du all die Dinge um dich herum und Menschen, auf die du triffst, noch nie im Leben gesehen. Nimm diese Eindrücke, alles was du siehst, riechst, hörst, fühlst und schmeckst, einen Tag lang wahr. Nimm wahr, was ist, und versuche, so gut es geht, nicht zu urteilen. Nimm die Chance wahr, deine Urteile loszulassen und nochmal bei Null anzufangen.

I Der Magier

Jetzt ist die Zeit für:
Deine eigene Superpower erkennen, groß träumen, dein Leben nach deinen Vorstellungen erschaffen, Manifestieren, dem Universum vertrauen

Jedem Anfang wohnt ein Zauber inne! Der Magier, die Karte N° 1 des Tarot, steht für einen magischen Neuanfang. Du kannst das Tarot als eine zusammenhängende (Lebens-)Geschichte sehen. Nachdem du mit dem *Narren,* der nullten Karte, völlig im Hier und Jetzt bist und befreit von allen Belastungen aus der Vergangenheit, zeigt *der Magier* auf, dass es nun Zeit ist, dein neues Leben zu erschaffen. Das Tolle daran ist, dass du die Zauberkraft besitzt, um dein Leben nach all deinen Vorstellungen und Wünschen zu gestalten

Du glaubst mir nicht? Na, dann lass uns diese Karte einmal genauer anschauen. Der *Magier* steht hinter seinem magischen Altar oder einfach vor seinem Werkzeugtisch. Auf diesem Tisch sind die vier Elemente versammelt: das Schwert (Luft), die Münze (Erde), der Kelch (Wasser) und der Stab (Feuer) – dem *Magier* steht also die geballte Kraft zur Verfügung. Er ist sich seiner Stärke bewusst, sein roter Umhang strahlt eine starke (Zauber-) Kraft aus, während sein weißes Gewand für Reinheit steht. Er praktiziert nur weiße, friedvolle Magie mit den besten Absichten. Die Haltung seiner Arme deutet auf die Verbundenheit mit dem Erdreich sowie dem Luftreich, dem Universum oder der höheren Macht hin. In seiner rechten Hand, die in den Himmel ragt, hält er seinen Zauberstab. Über seinem Kopf schwebt die liegende Acht, die Unendlichkeitsschleife.

Trau dich also, daran zu glauben. Du bist bereits der*die Magier*in und besitzt alles, was du brauchst, um dir dein allerschönstes Leben selbst zu erschaffen. Was ist dir wirklich wichtig im Leben? Was willst du jetzt manifestieren? Wie sieht dein Leben in der schönsten Version aus? Wo lebst du, was tust du, wer ist bei dir? Du erweckst die Magie dieser Karte zum Leben, indem du dich traust, dir deine Visionen bis zu Ende auszumalen und groß zu träumen.

Der Magier – umgekehrt

Auf dem Kopf liegend kann der Magier ein Hinweis auf den Wunsch sein, Macht zu haben über Andere, um sich selbst dadurch stark zu fühlen, alles bestimmen und kontrollieren zu wollen. Lenk deine Energien lieber in positive, heilsame Bahnen und hinterfrage, warum dir Einfluss auf Andere so wichtig ist. Häufig steht eine (alte) Verletzung dahinter, die dein heutiges Handeln noch beeinflusst.

Wie du mit der Magier-Energie dein Leben verzauberst

1. Ein Ritual aus der weißen Magie, das perfekt zum Magier passt, ist das Errichten deines persönlichen Altars. Dieser **Altar** ist das Symbol für deine Zauberkraft und auf ihm befinden sich deine magischen Werkzeuge. Als Basis kann ein Tisch oder eine Kommode dienen. Suche dir dann für jedes der vier Elemente einen Gegenstand, der es repräsentiert. Für das Element Wasser kann das eine Schale oder ein Kelch mit Wasser sein, für das Element Erde (Edel-)Steine, Münzen oder eine Pflanze, für das Element Feuer eine Kerze und für das Element Luft Räucherstäbchen, ein Traumfänger oder eine Feder. Platziere alle Gegenstände auf deinem Altar. Stelle auch gern noch ein oder zwei persönliche Gegenstände, die dich und deine Träume repräsentieren,

auf. Gestalte deinen Altar nach deiner Intuition. Er wird dir helfen, dich immer wieder an deine magische Kraft zu erinnern und dir Sicherheit und Vertrauen schenken.

2. Erstelle dir ein **Dreamboard**, auf dem du dir das Leben deiner wildesten und schönsten Träume ausmalst. Hier ist deine Kreativität gefragt. Besorge dir beispielsweise einen Keilrahmen, eine große Holzplatte oder eine alte Tür als Untergrund. Such dir dann Bilder, Fotos oder Symbole, die das repräsentieren, was du in dein Leben ziehen möchtest. Klebe gerne auch ein paar Dinge auf, die bereits da sind und für die du dankbar bist, z.B. ein Foto, auf dem du dich magst, deine Familie, deine Haustiere, glückliche Momente, die Natur ... Dieses Dreamboard platzierst du nun an einem Ort, wo du es regelmäßig siehst (über deinem Bett oder dem Schreibtisch).

3. Die vier Elemente auf der Karte helfen dir beim **Verwirklichen deiner Träume:** beim Manifestieren. Die Schwerter fragen dich: Mit wem möchtest du in Kontakt treten, um deine Träume zu erfüllen? Wer oder was hilft dir bei der Realisierung deiner Ideen? Die Münzen fragen dich, welche praktischen Ressourcen du verwenden kannst, um deinem Ziel näherzukommen. Welches Tool benötigst du? Die Kelche unterstützen das Manifestieren auf der Gefühlsebene. Welche negativen Überzeugungen und Ängste halten dich davon ab, an dein Wunder zu glauben? Die Stäbe helfen dir dabei, deine Motivation aufrechtzuerhalten und nicht aufzugeben. Warum möchtest du, dass dein Traum in Erfüllung geht? Was kannst du täglich tun, um deinem Traum ein kleines Stückchen näher zu kommen?

2 Die Hohepriesterin

Jetzt ist die Zeit für:
Akzeptieren deiner Schattenseiten, deine Spiritualität leben, dein höheres Selbst entdecken, Innenschau halten, Gefühle und Verstand in Einklang bringen

Die Hohepriesterin ist wohl eine der geheimnisvollsten und komplexesten Karten des Tarot. Schauen wir uns diese Karte einmal genauer an, denn sie birgt so viele wundervolle Geheimnisse!
Eine Frau thront zwischen einem Tor aus zwei Säulen, einer dunklen und einer hellen. Ihr Blick ist klar geradeaus gerichtet, so, als ob sie dir direkt in die Augen schauen würde. Auf ihrem Kopf thront eine Mondkrone, die für das Gespür der Zeit steht, und in ihren Händen hält sie eine Schriftrolle, die Tora. Sie trägt ein fließendes, hellblaues Gewand, das mit dem Wasser hinter ihr zu verschmelzen scheint. Auf ihrer Brust prangt ein Kreuz und zu ihren Füßen liegt ein sichelförmiger Mond, der für Intuition steht und der mit dem leuchtend gelben Boden verbunden ist.
Die Hohepriesterin ist das Sinnbild der Spiritualität. Sie ist eine Weise, eine Gelehrte, die jedoch nicht nur auf Wissen vertraut, sondern völlig bei sich bleibt und dadurch mit ihrer Intuition verbunden ist. Sie weiß, dass sie neben hellen auch dunkle Seiten hat, die sogenannten Schattenseiten, und verbindet alles in ihrer Mitte. Sie steht in direkter Verbindung mit der Fülle an Gefühlen, die in ihr sind. Sie ist im Einklang mit sich selbst. Die Kombination aus ihrer Gelehrtheit und der messerscharfen Intuition bewirkt, dass sie Situationen und Menschen hervorragend einschätzen kann, so dass sie oft im

Voraus weiß, was passieren wird. Das macht sie für Andere zu einem Rätsel. Sie erscheint geheimnisvoll, gar übersinnlich. Auch wenn du dich momentan vielleicht noch nicht so fühlst, steckt in dir eine *Hohepriesterin*! Der Schlüssel liegt in der Entdeckung deiner eigenen Spiritualität. Es geht um die Verbindung mit dem eigenen höheren Selbst, sozusagen mit der eigenen Geistlichkeit. Der erste Schritt dorthin ist eine Innenschau. Anstatt dich auf alles im Außen zu fokussieren, richtest du dich nach innen und kommst in Kontakt mit deiner Seele. Bei all den äußeren Einflüssen, die kontinuierlich auf uns einprasseln, kann es eine echte Herausforderung sein, dich mit dir selbst zu verbinden. Diese Verbindung zu dir selbst und deiner inneren Welt ist es jedoch, die dich die Antworten auf die wirklich wichtigen Fragen in deinem Leben finden lässt. Wenn du schon die Erfahrung gemacht hast, dass dir die innere Einkehr guttut, ist es nun deine größte Herausforderung, diese Praxis regelmäßig in deinen Alltag zu integrieren.

Die Hohepriesterin – umgekehrt

Umgekehrt beschreibt diese Karte vielleicht, dass du momentan nicht nach innen schauen möchtest und Schwierigkeiten hast, dein eigenes Verhalten zu reflektieren. Schau dir die aufrechte Karte an und komm raus aus der Kopfwelt, hinein in deine wunderschöne, reiche, innere Intuitionswelt!

Wie du deinen Hohepriesterin-Spirit voll entfaltest

1. Kreiere deine eigene **Hohepriesterin-Insel**, auf die du regelmäßig reist und innehältst. Wann und wo möchtest du dich mit der Hohepriesterin in dir verbinden? Dann wirst du Antworten auf Fragen finden wie: Was ist mir wirklich wichtig? Was ist sinnstiftend in meinem Leben? Was ist meine Mission auf der Erde? Wie kann ich mit meinem Handeln Anderen helfen?
   Vielleicht fällt es dir leichter, dir direkt morgens Zeit für dich einzuräumen, gleich nach dem Aufstehen, und wenn es nur fünf Minuten sind.

2. Die ständige Ablenkung während des Arbeitens oder Lernens schmälert deine Produktivität und deine Zufriedenheit. Ein effektives Mittel dagegen ist die **Deep-Focus-Methode**. Das bedeutet, dass du alle äußeren Ablenkungen ausschaltest, wenn du an etwas arbeitest, das dir wichtig ist und Konzentration erfordert. Dazu gehört: Handy aus, Emailpostfach geschlossen lassen sowie eine ruhige Umgebung ohne Musik und quatschende Kollegen. Falls du an einem Ort arbeitest, an dem du den äußeren Geräuschpegel nicht unter Kontrolle hast und du nicht ausweichen kannst, können Nosiecanceling Kopfhörer Abhilfe schaffen.

3 Die Herrscherin

Jetzt ist die Zeit für:
Deine Weiblichkeit feiern, Mitgefühl zeigen, Dankbarkeit, deinen Körper annehmen, die Fülle in deinem Leben wahrnehmen

Die Herrscherin ist eine Karte, die mir in regelmäßigen Abständen immer mal wieder erscheint. Sie ist eine wunderschöne Königin, die mit ihrer von Sternen gesäumten Krone und ihrem geblümten Kleid auf ihrem komfortablen Thron ruht, der inmitten einer sonnigen, fruchtbaren Landschaft steht. Sanftmütig und zugleich selbstbewusst blickt sie nach vorn. Sie weiß ganz genau, was sie will. Sie ist frei von Angst und voller Vertrauen und ist sich der Fülle in ihrem Leben bewusst.

Die Herrscherin verkörpert wie keine andere Karte Weiblichkeit und Fruchtbarkeit. Jeder Mensch, unabhängig von seinem Geschlecht, hat weibliche und männliche Seiten, und diese Karte sagt ganz deutlich, dass jetzt die weiblichen Eigenschaften gefragt sind: sanftmütige Stärke, Empathie, Verständnis, Fürsorglichkeit, Urvertrauen und Intuition. Sie ist mit dem Planeten Venus verbunden, wie du auf dem herzförmigen Stein neben ihrem Thron erkennen kannst. Venus ist dir sicher als der Planet der Liebe bekannt. So ist diese Karte eine Botschaft, deine Liebe in die Welt hinauszutragen, oder noch besser gesagt: Du kannst mit Liebe deine Welt regieren. Venus ist zugleich der Planet für Fülle und Reichtum. Auch das findet sich in dieser Karte wieder. Schau dich mal um und entdecke all die Fülle, die bereits in deinem Leben vorhanden ist! Dadurch, dass du dich auf all die Dinge konzentrierst, für die du dankbar bist, wirst du noch mehr davon in dein Leben ziehen. Du kannst weiblich sein und erfolgreich im Job. Du kannst eine Führungsposition

einnehmen oder sogar gleich dein eigenes Business gründen. Ich feiere alle Girl Bosses dieser Welt! *Die Herrscherin* ist ein Aufruf an alle Frauen dieser Welt, für ihre Rechte einzustehen!
Weil diese Karte für die Weiblichkeit steht, symbolisiert sie auch den Kinderwunsch und die Mütterlichkeit. Ich weiß genau, warum mir diese Karte immer und immer wieder erscheint. Weil sie den Finger in meine Wunden legt: Mein Kinderwunsch und der Gedanke, dass mir die Zeit wegläuft. In meinem Leben lief es erst auch fast planmäßig: Mitte Zwanzig zog ich mit meinem damaligen Partner in die Stadt, in der er seinen Traumjob bekommen hatte. Ich vermisste meine Freunde und Familie dort sehr. Der Wunsch nach einer eigenen Familie wurde, möglicherweise noch befeuert von meiner Einsamkeit, immer größer. Jedes Mal, wenn ich das Thema Kinder ansprach, fühlte ich mich von ihm vertröstet und nicht ernst genommen. Schließlich machte er mir doch noch einen Heiratsantrag. Und vielleicht denkst du, jetzt kommt das Happy End. Mittlerweile weiß ich, dass ein Happy End gar nicht möglich war, weil ich mein Glück komplett von den Entscheidungen meines Freundes abhängig machte und im Mangelbewusstsein war, anstatt wie die Herrscherin zu agieren. Im Laufe der Zeit wurde ein Gefühl in mir immer lauter: Ich will das alles nicht. Natürlich nahm ich dieses Gefühl anfangs nicht ernst. Weil ich meinen Job in dieser Zeit verlor, entschloss ich mich, eine Sprachreise zu machen. Allein. Nach Argentinien. Während meine Freundinnen daheim witzelten, ich würde mit einem heißblütigen Argentinier durchbrennen, passierte genau das ...

Die Herrscherin – umgekehrt

Auf dem Kopf liegend verwandelt sich die warmherzige, vertrauensvolle *Herrscherin* in eine Person, die andere Menschen – insbesondere Frauen – als Bedrohung und Konkurrenz sieht. Das kann im Liebesleben, in Freundschaften sowie im beruflichen Leben der Fall sein. In allen Situationen ist die Botschaft dieselbe: Konzentriere dich auf Mitgefühl, Wärme und Güte und fördere dein Vertrauen in dich und deine Mitmenschen.

Wie du zur bezaubernden Herrscherin wirst

1. **Zelebriere deine Weiblichkeit.** Zieh dir schöne Kleidung an, in der du dich wohlfühlst und welche deine Weiblichkeit unterstreicht. Nimm dir Zeit für Haare und Make-up und trage unbedingt Schmuck. Geh hinaus in die Welt und zeig dich!

2. Es klingt so simpel, aber es ist so effektiv: **Säe eine Blumenmischung** in deinem Garten, auf deinem Balkon oder in einem Topf auf deiner Fensterbank aus. Gib den Samen Zeit und Liebe, gieße sie regelmäßig. Sobald die ersten Keime aus der Erde austreten, wirst du voller Freude sein.

3. Um deinen Fokus mehr auf die Fülle zu lenken, die bereits in deinem Leben existiert, ist das Praktizieren von **Dankbarkeitsübungen** extrem wirksam. Nimm dir morgens nach dem Aufstehen ganz bewusst einen kleinen Dankbarkeitsmoment. Setze dich bequem hin und schließe die Augen. Für welche Dinge, die bereits in dir und in deinem Leben sind, bist du dankbar? Beobachte mal, welche Bilder bei dieser Frage vor deinem inneren Auge auftreten!

4 Der Herrscher

Jetzt ist die Zeit für:
Strukturen schaffen, Ordnung,
Nein sagen,
Deutlichkeit,
Grenzen setzen

Während du bereits *die Herrscherin* als Sinnbild der weiblichen Tugenden kennengelernt hast, kommt hier ihr männliches Gegenstück: *der Herrscher*. Er vereint alle Eigenschaften, die wir traditionell Männern zuordnen: Disziplin, Strenge, Durchsetzungsvermögen, Starre, Geradlinigkeit, Entschlossenheit sowie eine gewisse Härte.

Der graubärtige Mann sitzt fest auf seinem steinernen Thron. Sein starr nach vorn gerichteter Blick ist fast ein wenig furchteinflößend. In jedem Fall strahlt er aus, dass er ganz genau weiß, was er will und keinen Spaß versteht: Du wirst ihm mit Respekt begegnen müssen. Sowohl sein Gewand als auch sein Thron werden von Widderköpfen geziert. *Der Herrscher* wird auch dem Tierkreiszeichen Widder zugeordnet.

Der Herrscher ist eine vielschichtige Karte, die unterschiedliche Bedeutungen haben kann, je nachdem, in welcher Situation du dich befindest. Es kann sein, dass du dich be–herrscht fühlst. Von einer anderen Person in deinem Leben, die typisch männliche Eigenschaften verkörpert. Möglicherweise dein*e Partner*in, ein Elternteil oder dein*e Chef*in. Du fühlst dich eingeengt, vielleicht auch unterdrückt, so als ob dein Recht, frei zu entscheiden, dir genommen wurde. Sie kann auch ein Hinweis darauf sein, dass du in einer Beziehung steckst, die unausgeglichen oder gar toxisch ist.

Die Botschaft dieser Karte für dich ist: Sage klar und deutlich, was du willst, und stehe dafür ein. Zeige den Anderen deine Grenzen unmissverständlich auf und sag „Nein". Übernimm Verantwortung für dein eigenes Wohlergehen und geh die Schritte, die dafür notwendig sind. Werde zum Herrscher über dein eigenes Leben, indem du kraftvolle Entscheidungen triffst! In den meisten Fällen wird es genügen, dass du dir darüber bewusst wirst, was du wirklich willst, und das präzise und sachlich kommunizierst. Wenn du dich jedoch in einer privaten oder beruflichen Beziehung befindest, in der gegenseitiger Respekt trotz allem nicht gegeben ist, ist es an der Zeit, harte Konsequenzen zu ziehen. Wenn du *der Herrscher* über dein Leben bist und selbst frei entscheiden willst, ist hier womöglich die Zeit für eine Trennung gekommen.
Der letzte Aspekt dieser Karte hat auch wieder etwas damit zu tun, Herrscher über dein eigenes Leben zu werden: das Kreieren von Ordnung und Strukturen. Wenn du vom Typ eher der kreative Freigeist, die romantische Träumerin oder chaotische Professorin bist, wird dies eine deiner größten Herausforderungen sein. Aber ein wenig Aufräumen und Ordnung schaffen im Chaos werden dir helfen, deine Ideen und Träume noch effizienter zu verfolgen und ins Handeln zu kommen.
Der Herrscher ist schon häufiger in mein Leben getreten. In einer toxischen Beziehung zum Beispiel war der *Herrscher* der klare Aufruf, mich aus der Opferrolle zu befreien und zu gehen.

Der Herrscher – umgekehrt

Auf dem Kopf liegend verwandeln sich die Stärken *des Herrschers* in Schwächen, da sie in übertriebener Form vorhanden sind. Diese Karte ist verkehrtherum noch ein eindeutigerer Hinweis auf toxische Verhältnisse in einer Beziehung mit ungleichen Machtverhältnissen.

Wie du selbst Herrscher über dein Leben wirst

1. Lerne, **„Nein" zu sagen** ohne schlechtes Gewissen. Geh deinen Glaubenssätzen auf den Grund: Wenn du etwas eigentlich nicht möchtest, aus welchem Grund sagst du doch ja? Weil du Andere nicht enttäuschen willst, weil du gemocht und geliebt werden oder weil du nichts verpassen willst? Erteile dir die Erlaubnis, Nein zu sagen, indem du denkst: Ich stehe für meine eigenen Wünsche und Bedürfnisse ein. Ich bin wertvoll und geliebt, auch wenn ich Nein sage.

2. Starte eine **Aufräumaktion**. Zum Beispiel einen Frühjahrsputz, entrümple deinen Keller oder miste deinen Kleiderschrank aus. Mit Hilfe von Flohmarktapps oder einer Tauschparty machst du Andere mit deinen Altlasten glücklich und bekommst vielleicht sogar noch etwas zurück. Oder wie wäre es mit digitalem Aufräumen? Reinige dein Emailpostfach von Spam und Altem, sortiere deine Fotos sowie deine Ordner auf dem Computer.

3. Hier eine kleine **Fantasiereise:** Stell dir vor, dass du der Herrscher bist, der auf seinem Thron sitzt. Erschaffe dir in deiner Vorstellung dein Königreich, in welchem du regierst. Wie sieht dieser Ort aus? Welche Strukturen hast du dort erschaffen? Komme nun wieder zurück ins Hier und Jetzt. Was kannst du aus dieser Übung für dich mitnehmen? Was aus deinen Antworten kannst du auf dein echtes Leben übertragen?

5 Der Hierophant

Jetzt ist die Zeit für:
Lernen und Lehren,
Weltreligionen studieren,
traditionelle Weisheiten,
Bescheidenheit, Minimalismus

Eine wunderbar mystische und spirituelle Karte, die ich – ebenso wie sein weibliches Pendant, *die Hohepriesterin* – lange Zeit nicht ganz entschlüsseln konnte. Soll das der Papst sein? Dabei ist die Symbolik dieser Karte wahnsinnig interessant. Aufgrund der roten Kutte, die mit Kreuzen geziert ist, gewinnt man schnell den Eindruck, dass es hier um Religion geht. Und das ist auch wahr – aber es geht hier nicht nur um die christliche Religion – sondern um alle Religionen. Erinnert dich das friedliche, ebenmäßige Gesicht *des Hierophanten* nicht auch ein wenig an Buddha? Alles in seiner Person strahlt Weisheit aus. Er ist der Gelehrte, der seit Jahren übermitteltes Wissen weitergibt. Vielleicht das Wissen, das in den Hintergrund gerückt ist, uns jedoch letztendlich hilft, Rätsel für Rätsel zu entschlüsseln. Er weiß, dass die Antworten auf unsere heutigen Probleme häufig in traditionellen Ansätzen, die weit vor dem technischen Fortschritt entstanden sind, liegen. Weg von immer mehr, immer höher, schneller und weiter – hin zu den Tugenden eines Mönchs: Bescheidenheit, Dankbarkeit, Freude am Geben und nur das Nötigste besitzen.

Auf dem Kartenbild siehst du, dass *der Hierophant* zwei Zuhörer hat. Dies sind weitere Indikatoren dafür, dass er der weise Gelehrte ist, der traditionelles Wissen weitergibt. Der *Hierophant* zeigt keine Emotionen und ist dadurch für manche schwierig zu verstehen. Er spricht in Rätseln. Die Frage hier ist: Wer bist du in dieser Karte? Bist du *der Hierophant* selbst oder einer der Zuhörer? Bist du ein*e Lehrer*in oder ein*e Lernende*r? Wenn du *der Hierophant* bist, ist es Zeit, dein reiches Wissen weiterzugeben. Vertraue darauf, dass deine Wahrnehmungen wichtig und wertvoll sind, um sie zu teilen und Anderen damit zu helfen. Möglicherweise haben andere Menschen jedoch Schwierigkeiten, dich zu verstehen. Wenn du ein Zuhörer bist, ein*e Lernende*r, dann sei und bleib aufmerksam und lass dich ein. Lass dich nicht entmutigen, falls du nicht alles sofort verstehst. Sei bereit, jeden Tag ein bisschen mehr zu lernen und weiterzugehen auf deinem spirituellen Weg. Vielleicht erkennst du dich auch teils in beiden Rollen, was nicht ungewöhnlich ist.

Der Hierophant – umgekehrt

Auf dem Kopf liegend verkörpert *der Hierophant* jemanden, der oder die seine Perspektive schwer erweitern kann, oder Situationen, in denen man seine Sichtweise nicht gegenüber anderen Lehren öffnen kann. Beispiele sind Akademiker*innen oder Gelehrte, die keine andere Sichtweise zulassen als die rationale, logische Erklärung der Wissenschaft. Oder die*der Priester*in, der*die die Meinung vertritt, dass die Religion, die er predigt, die einzig wahre ist.

Wie du die Hierophanten-Energie auf deinem spirituellen Weg nutzt

1. Such dir einen **Coach** oder eine*n Mentor*in. Welche spirituelle Erfahrung möchtest du machen? Was möchtest du lernen, um das große Ganze besser zu verstehen?

2. Übe Verzicht und mache einen Ausflug in ein **traditionelles Leben**, wie in einer früheren Zeit, indem du zum Beispiel eine Zeit im Kloster verbringst. Oder melde dich bei einem Mindfulness-Retreat an. Auch körperliche Arbeit auf einem Bauernhof, mit Erntehilfe, Ställe misten und Tierpflege, ist denkbar. Hier eignet sich all das, was back to the roots, frei von Konsum und Überreizung, sondern gerichtet auf die innere Einkehr ist.

3. Studiere **traditionelle Weisheiten** wie zum Beispiel die chinesische Medizin, Naturheilkunde, das Tarot (herzlichen Glückwunsch, das tust du schon), die Religionen der Welt, Astrologie ... Oder verbinde dich aktiv mit religiösen Lehren – durch den Besuch eines Gottesdienstes, eines Gebetshauses, eines Tempels, einer Synagoge oder einer Moschee.

4. Vertraue darauf, dass auch, wenn du noch jung bist oder glaubst erst am Anfang deiner spirituellen Reise zu stehen, du dein Wissen und deine **Erfahrung** an Andere weitergeben kannst. Um sie zu inspirieren und ihnen zu helfen. Lehrer*innen sind immer auch Lernende und Lernende sind immer auch Lehrer*innen, zum Beispiel indem sie Fragen stellen. Stell unbedingt Fragen!

6 Die Liebenden

Jetzt ist die Zeit für:
Selbstliebe, das Vertrauen in dich stärken, positive Glaubenssätze, deine Beziehung zelebrieren oder dein Singleleben genießen

Zuerst einmal darfst du dich glücklich schätzen, wenn diese Karte auftaucht, denn sie symbolisiert eine magische Verbindung, Vertrauen und echte gegenseitige Wertschätzung. Oft geht es hier um die Beziehung, die du zu deiner*m Partner*in hast. So etwas wahnsinnig Tolles wie echte Liebe bringt jedoch auch eine Verletzlichkeit mit sich, die dir möglicherweise Angst einjagt. Was, wenn das Hochgefühl, das ich jetzt verspüre, irgendwann vorbei ist? Die Antwort auf diese Frage ist gleichermaßen einfach wie schwierig: Vertraue und genieße! Schau dir einmal den Engel an, der über den beiden verletzlichen, etwas unsicher schauenden, nackten Personen schwebt: Er breitet voller Vertrauen schützend seine Hände über beiden aus. Über ihnen allen strahlt in voller Kraft die Sonne.

Was du glaubst und woran du glaubst, ist letztendlich deine Entscheidung. Du kannst dich entscheiden, deine*n Partner*in in einem schlechten, kritisierenden Licht zu sehen. Dich darauf fokussieren, was er*sie nicht hat und tut, statt auf all das Positive. Du kannst dir eine schöne Zukunft ausmalen oder eine schlechte. Und auch, wenn dein*e Partner*in gerade der oder die Tollste auf Erden ist, kannst du dich entscheiden: Gibst du der Angst, dass du all das einmal verlieren könntest oder dass sich alles zum Schlechten wendet, die Power über deine Gedanken und Gefühle? Auch wenn du bereits in einer längeren Beziehung lebst, sendet dir diese Karte wichtige Botschaften: Sei dankbar für das Vertrauen und die faszinierende tiefe Bindung, die ihr zueinander aufgebaut habt. Die Karte ist ein Aufruf, auch in der Alltagsroutine eure Beziehung wieder mehr zu zelebrieren.

Die Liebenden sind immer auch eine Einladung an dich zu überprüfen, wie es gerade um die Beziehung, die du zu dir selbst hast, bestellt ist. Wo hast du Selbstzweifel? Wie beurteilst du dein eigenes Verhalten, deinen Charakter, deinen Körper? Welche Ansprüche stellst du an dich selbst? Mach dir bewusst, dass du immer das anziehst, was du im Inneren glaubst. Wenn du dich selbst nicht so richtig magst oder dich gar abwertest, wirst du diese Ablehnung auch durch andere Menschen erleben. Wenn du dich jedoch in Liebe anerkennst, dann wird dir auch Liebe im Außen widerfahren. Alles, was du brauchst, um dich geliebt und vollkommen zu fühlen, gibst du dir letztlich selbst. Dadurch, dass du dich liebevoll und respektvoll voller Wärme und Güte behandelst, strahlst du deine Liebe in die Welt hinaus. Wenn du fortan also deine eigene BFF bist, wirst du diesen kraftvollen Wandel schon sehr bald in deinem direkten Umfeld bemerken.

Die Liebenden – umgekehrt

Wenn du diese Karte auf dem Kopf ziehst, ist sie ein noch eindeutiger Hinweis, dass du dich mit dem Thema Selbstliebe auseinandersetzen solltest.

Ich habe diese Karte umgekehrt an einem Silvesterabend gezogen. Die umgekehrten *Liebenden* sollten also das Jahresthema werden. Ich schluckte: Selbstliebe. Echt jetzt? Im weiteren Verlauf der Legung begriff ich jedoch, dass ich mich auch in der letzten Zeit wieder viel zu sehr auf Bestätigung von außen fixiert hatte, statt wahre Freundschaft mit mir selbst zu schließen. In der kommenden Zeit machte ich verstärkt Meditationen und Übungen zum Thema Selbstliebe und beschloss außerdem, die Partnersuche lockerer angehen zu lassen und mein Single-Dasein zu genießen, anstatt mich dafür abzuwerten.

Wie du die Energie der Liebenden in dein Leben ziehst

1. Übe dich in **Selbstliebe**. Stell dir vor, dass du deine eigene beste Freundin bist. Wie würdest du mit deiner Freundin sprechen, wenn sie sich nicht gut fühlt? Wenn sie einen Fehler gemacht hat? Oder wenn sie einen Erfolg erlebt? Begrüße dich fortan jeden Morgen, wenn du in den Spiegel schaust, herzlich mit deinem Namen und sag dir laut, wie sehr du dich magst. Schreib mindestens 5 Dinge an deinem Körper und mindestens 5 an deinem Charakter auf, die du magst.

2. Ich möchte dir hier einen **Liebeszauber** verraten, den ich selbst erfolgreich ausprobiert habe (inspiriert von Michelle Tea, s. Literaturtipps). Bei einer so magischen Karte wie die Liebenden darf ein bisschen Zauber nicht fehlen! Besorg dir folgende Zutaten:
   60 ml Mandelöl
   Einen Esslöffel Orangenöl
   Einen Esslöffel Zitronenöl
   Die Schale einer Orange oder Zitrone
   Zwei Apfelkerne
   Einen Amethysten
   Vermische die Öle in einem Schraubglas miteinander. Füge die Schale der Orange oder Zitrone hinzu, gib die Apfelkerne hinein und lege zum Schluss den Amethysten in die Mischung. Sprich deine Intention laut aus: „Ich möchte echte, tiefe, wahre Liebe erfahren." Lege das Öl wie ein Parfüm auf Vertraue darauf, dass das Universum dir die Liebe sendet, die du dir wünschst.

7 Der Wagen

Jetzt ist die Zeit für:
Selbstzweifel überwinden, deiner Leidenschaft folgen, Konflikte aushalten, dein Ziel visualisieren, dein Gewinnermindset aktivieren

Yeah Baby, you're a winner! Jetzt ist es an der Zeit, loszugehen. Und das durchzusetzen, was du willst. Worauf es jetzt ankommt ist, dass du bestimmt und beharrlich bleibst. Auch wenn jemand versucht, dich vom Gegenteil zu überzeugen oder dein Handeln Konflikte mit sich bringt, die dir möglicherweise Angst machen.

Diese Karte kann schwierig sein für dich, falls du – wie ich – zu den Leuten gehörst, denen Harmonie und Frieden sehr wichtig ist und die darum schnell nachgeben, um Streit zu vermeiden. In deiner derzeitigen Situation kommt es jedoch darauf an, dass du für das einstehst, was dir wichtig ist.

Schau dir die Karte einmal an: Der Frühlingsgott steht in seiner feierlichen Rüstung in seinem Wagen. Auf seinem Kopf thront die Sternenkrone. Der Sternenbaldachin des Wagens legt sich schützend über ihn. Er hält das Zepter in der rechten Hand. Er hat alles, was er braucht, um sein Ziel zu erreichen: einen festen Willen, Mut, Stärke, die Gabe, zu führen, sowie die Unterstützung des Universums. Die beiden Sphinxe sind bereit, den Wagen zu ziehen und alle Widersprüche zu überwinden. Er muss nur das Startsignal geben, um die sichere Festung zu verlassen.

Der Wagen will dir sagen, dass du alles in dir trägst, um dein Ziel zu erreichen: Leidenschaft, einen ungebrochenen Willen, Mut, Kraft und Ausdauer. Glaub an dich und deine Fähigkeiten und du kannst alles erreichen, was du willst.

Ich kenne den *Wagen* nur zu gut. Vielleicht, weil er meinem Sternzeichen, dem Krebs, zugeordnet wird. Für mich kam *der Wagen* immer dann, wenn ich eine Idee hatte, von der ich intuitiv dachte, dass ich diese umsetzen müsste. Ich spürte schon das Feuer in mir, das beim Ausmalen meiner Pläne in mir brodelte. Dann überkamen mich jedoch Zweifel und Ängste. Was ist, wenn ich Probleme bekomme? Was ist, wenn Andere meine Arbeit nicht mögen?

Der Wagen will dich aufrufen, auf deine Intuition zu hören und auf Start zu drücken. Geh los für das, was in dir brennt und nach draußen gebracht werden will! Wer es versucht, kann verlieren. Wer es nicht versucht, hat schon verloren.

Der Wagen — umgekehrt

Es scheint so, als würdest du momentan impulsiv handeln, ohne klare Richtung. Du bist voller Leidenschaft und Ideenreichtum, aber richtig chaotisch. Das ist total liebenswert, aber wahrscheinlich fühlst du dich dadurch unzufrieden, erschöpft, frustriert und unverstanden von deiner Umgebung. Jetzt ist die Zeit gekommen, in dich zu gehen und dir ein klares Ziel zu setzen, damit dein Handeln wieder eine Richtung bekommt. Die Leidenschaft, den Mut und die Power hast du schon – jetzt musst du sie nur noch in die richtigen Bahnen lenken.

Aktiviere deine Gewinner-Wagen-Energie

1. Es ist essentiell, dass du selbst weißt, was du willst, und noch wichtiger, warum. Was ist dein **Ziel**? Warum willst du dieses Ziel erreichen? Je klarer du dein Warum definierst, desto besser kannst du es auch Anderen gegenüber vertreten und dich bei aufkommender Kritik und Zweifeln immer wieder selbst bestärken. Setze dir außerdem eine Frist: Bis wann willst du dein Ziel erreicht haben?

2. Besorg dir einen **Pyrit**, um deine Power und dein Gewinner-Mindset zu stärken. Ein Pyrit ist ein wunderschöner Stein, der aussieht wie ein unregelmäßig geformter Goldbarren. Trag deinen Pyrit bei dir, gern auch als Schmuck. Ein Stein, den du bei dir in deiner Tasche oder in dem BH trägst, geht aber selbstverständlich auch. Schau dir dein Schmuckstück oder deinen Stein immer wieder an, um dich daran zu erinnern, welche Willenskraft, Herzblut, Leidenschaft und Liebe in dir steckt und dass du nur gewinnen kannst. Vor allem in Phasen, in denen du zweifelst, wirst du neuen Mut schöpfen.

3. Mit dieser großartigen **Übung** lässt du deine Zweifel los: Stell dich aufrecht hin, schließe deine Augen und visualisiere, wie du deinen Sieg bereits errungen hast. Strecke die Arme in die Luft, juble und hüpfe auf und ab. Rufe, wenn du magst: „Ja, es ist wahr!", und tanze vergnügt durchs Zimmer. Na, wie fühlt es sich an, ein*e Gewinner*in zu sein?

8 Kraft

Jetzt ist die Zeit für:
Durchhaltevermögen, Großherzigkeit,
Mut und Stärke zeigen,
Demut,
geduldige Zuversicht

Die Kraft zeigt dir Herausforderungen in deinem Leben an, die dich aus deiner Komfortzone herausschubsen. Ein verantwortungsvolles berufliches Projekt, ein Kind zur Welt bringen oder großziehen, Konflikte in deiner Beziehung oder eine Krankheit – egal, vor welcher Herausforderung du derzeit stehst, diese Karte möchte dir zeigen, dass du diese meistern wirst. Schauen wir uns die Karte einmal genauer an, um herauszufinden, wie dir das gelingt. Die Symbolik dieser Karte ist wirklich wunderschön. Eine Frau in einem weißen Kleid, welches mit einem Blumengürtel verziert ist, zähmt den wilden, aggressiven, starken Löwen. In ihrem Blick und ihrer Haltung liegt eine unendliche Zuversicht und Geduld. Keine Spur von Verbissenheit und Kampf – obwohl der Löwe ihr mit gefletschten Zähnen begegnet.

Die Antwort auf all deine Fragen, was du tun kannst, um mit dieser herausfordernden Situation umzugehen, lautet: mit Zuversicht. Mit Gelassenheit. Mit Wärme, Freundlichkeit und Liebe dir selbst und Anderen gegenüber. Auch wenn deine Kinder die Wände mit Schokocremebroten kleistern – atme tief durch und weise ihnen mit Großmütigkeit und Liebe den Weg. Auch wenn dir eine Krankheit Mut und Energie raubt, bleibe voller Zuversicht – jeden Tag aufs Neue. Wenn du eure Beziehung schon am Ende siehst – gib nicht auf und schau mal, was passiert, wenn du selbst mit Güte und Wärme reagierst.

Die Kraft steht definitiv für einen langen Atem – Ausdauer und Geduld sind wichtige Eigenschaften, die du nun nutzen und trainieren darfst. Gib nicht auf, sondern halte durch und mach weiter. Es ist die Karte, die dir sagt, dass du alle Hindernisse überwinden kannst, und dir zeigt, wie stark du wirklich bist. Die Karte trägt die Nummer 8 und diese findet sich als Symbol der Unendlichkeit auch über dem Kopf der Frau wieder. Unendlichkeit für die Grenzenlosigkeit deiner eigenen Kraft.

Kraft – umgekehrt

Wogegen hast du angekämpft? Was hat dir deine Energie geraubt? Was auch immer es war, nun ist es allerhöchste Zeit, dich den Dingen zuzuwenden, die dir Energie spenden, anstatt den Energieräubern weiter Beachtung zu schenken. Nimm einmal Abstand von allen Dingen, die du tun musst. Welche von diesen Sachen musst du wirklich tun? Und welche jetzt?

Wie du deine eigene Kraft förderst

1. Die Art und Weise, wie du mit dir selbst sprichst, nimmt einen wesentlichen Einfluss darauf, wie du dich fühlst. Hast du in Stresssituationen mal beobachtet, was du denkst oder im Stillen zu dir selbst sagst? Gedanken wie: „Ich kann das nicht", „Das schaff ich nie" und „Ich weiß nicht mehr weiter", sind absolut menschlich, jedoch wenig hilfreich, um in deine Kraft zu kommen. Um diese festgefahrene Routine zu verändern, nimm dir bewusst Zeit und sage zu dir: *Ich schaffe das. Ich kann alles erreichen, was ich mir erträume. Ich fühle mich gesund und kraftvoll. Ich wachse mit meinen Herausforderungen.* Fühle in jeden Satz hinein. Sobald eine schwierige Situation auftritt, erinnere dich an die **Kraftsätze** und die positiven Gefühle zurück.

2. Mach dir eine Liste mit allen Dingen, die du an einem gewöhnlichen Tag machst. Schreib erst alle Aktivitäten auf, von morgens bis abends. Im nächsten Schritt frage dich bei jeder Aktivität: Schenkt sie mir Energie? Oder raubt sie mir Energie? Vielleicht gibt es auch einige Aktivitäten, die neutral sind. Notiere nun für jeden **Energiespender** ein Plus, **Energieräuber** versiehst du mit einem Minus. Neutrale Aktivitäten versiehst du mit einem Kreis.
Wie ausgewogen ist das Verhältnis von Spendern und Räubern? Idealerweise überwiegen die Plus-Zeichen. Wenn dem nicht so ist, wird es Zeit, etwas zu ändern. Wo kannst du mehr Raum schaffen für die Plus-Aktivitäten? Welche energiespendenden Aktivitäten vermisst du auf deiner Liste? Nun schauen wir uns einmal die Minuspunkte an. Welche dieser Aktivitäten kannst du vernachlässigen oder delegieren? Oder weniger oft oder kürzer ausführen? Oder – wenn sie wirklich notwendig sind: Wie kannst du sie angenehmer gestalten? Warum bereiten dir diese Aktivitäten so viel Mühe? Wenn du zum Beispiel nicht gern den Abwasch machst, denkst du vielleicht die ganze Zeit: *Ich habe keine Lust dazu. Ich will endlich damit fertig sein. Mann, ist das nervig.* Gelingt es dir jedoch, einen Mindshift zu machen und das Abwaschen bewusst zu erleben, ohne schon an die nachfolgenden Dinge auf deiner To-do-Liste zu denken, kann das Abwaschen sogar zu einem Me-time Moment werden. Vielleicht machst du dir dazu schöne Musik an oder einen Podcast, den du magst?

9 Der Eremit

Jetzt ist die Zeit für:
Quality time mit dir selbst, Alleinsein aushalten, Stille, Antworten in deinem Inneren finden, einsamen Menschen helfen

Als Jugendliche habe ich diese Karte regelrecht gefürchtet. Sie war die Karte, die ein lautes *oh Nein, was soll das? Die will ich nicht ziehen!* in mir auslöste. Dieser schrullige, alte Mann mit seiner Laterne, wie er da ganz einsam und allein im Dunkeln steht, löste in mir tiefe Ablehnung aus. Mittlerweile hat sich mein Verhältnis zum *Eremiten* geändert. Zum Glück! Ich sehe das Geschenk in dieser Karte. Die Botschaft, sich selbst Zeit zu schenken. Sich selbst allein. Wenn du den *Eremiten* ziehst, heißt das wirklich ganz konkret: Nimm dir Zeit für dich und bleib allein. Das kann bedeuten, dass du dich gerade nicht in die nächste Beziehung stürzen solltest. Dass du nicht deinen ganzen Terminkalender mit sozialen Events vollplanen solltest. Dass du dir trotz Familie und Kindern Zeit für dich einräumen solltest. Wahrscheinlich weißt du intuitiv schon ganz genau, auf welchen Aspekt der Eremit sich in deinem Leben bezieht.
Die Message des *Eremiten* wird auch klar, wenn du dir das Bild näher anschaust: Der alte Mann ist allein auf dieser Karte, allein im dunklen Grau. Er hat die Augen geschlossen und den Kopf etwas nach unten geneigt, so als wolle er in sich hineinhorchen. Vor seiner Brust hält er eine Laterne fest, aus der in Höhe seines Herzens ein heller Stern leuchtet. Verbringe in Ruhe Zeit mit dir selbst und du wirst die Antworten auf deine Fragen in deinem Inneren finden. Um eins deutlich zu machen: Zeit mit dir selbst zu verbringen bedeutet nicht, vorm Fernseher zu hängen und

Bingewatching zu betreiben oder die Zeit am Handy zu verdaddeln. Ebenso wenig bedeutet es, dass du deine Wohnung putzen und aufräumen sollst. Nein, nimm dir Zeit für dich und mach es dir schön. Stell dir vor, du hättest ein Date mit dir. Was würdest du gern tun wollen?

Der Eremit – umgekehrt

Auf dem Kopf liegend verkörpert *der Eremit* jemanden, der zu viel allein ist, der einsam und zurückgezogen ist. Manchmal suchen wir in der Isolation Schutz vor Verletzung, oder aber wir landen unfreiwillig in einer solchen Situation durch Mobbing, einen Umzug in eine andere Stadt oder durch den Verlust von geliebten Menschen. Falls du diese Einsamkeit bei dir gerade nicht erkennst, möchte dich diese Karte für die einsamen Menschen in deiner Umgebung sensibilisieren. Wer würde sich über ein wenig Aufmerksamkeit von dir freuen?

Eine Freundin von mir lädt ihren verwitweten Nachbarn regelmäßig dazu ein, mit ihr und ihrem Freund zu Abend zu essen. Sie sagt, dass sie doch immer viel zu viel kocht und es gemütlich findet, wenn mehrere Personen mitessen. Und der alte Mann ist glücklich, da er für diese Stunde am Tag Gesellschaft hat und nicht allein Essen auf Rädern verzehren muss.

Eine weitere Deutungsmöglichkeit für die umgekehrte Karte ist, dass du nicht einsam bist, allein sein jedoch absolut nicht aushalten kannst. Du versuchst, ständig in Gesellschaft zu sein. Lies dir dann die aufrechte Karte durch und versuche, die Schönheit der Zeit nur mit dir mehr zu schätzen.

Wie du mit dem Eremiten Antworten auf die wirklich wichtigen Fragen findest

1. Plane regelmäßige **Dates mit dir selbst:** Nimm dir Zeit für die Dinge, die deiner Seele schmeicheln. Vielleicht magst du dann ein Buch lesen, im Wald spazieren gehen, einem kreativen Hobby nachgehen oder gärtnern. Ebenso ist diese Zeit reserviert für Reflexion – eine Rückschau sowie eine Vorschau. Gib dir Raum, um dich selbst besser kennenzulernen. Wer bist du, was ist dir wichtig? Was möchtest du? Nutze in dieser Zeit gerne die Karten und vielleicht magst du auch Astrologie zu Rate ziehen.

2. Für alle, die den Eremiten umgekehrt gezogen haben und die sich **einsam fühlen:** Trau dich, mit anderen Menschen in Kontakt zu kommen. Wo könntest du Gleichgesinnte finden? Bei einem neuen Hobby, bei einem Kurs, beim Sport oder bei der Freiwilligenarbeit?
   Wenn du gerne mit jemandem über deine Situation sprechen möchtest, dir den Kummer von der Seele reden willst und jemanden brauchst, der dir zuhört, kannst du die Telefonseelsorge unter der Nummer 0800-1110111 anrufen.
   Falls du lieber schreiben magst, kannst du auch per Mail und Chat Kontakt aufnehmen unter
   https://online.telefonseelsorge.de/

10 Rad des Schicksals

Jetzt ist die Zeit für:
Dem Universum vertrauen, Kontrolle loslassen, Optimismus, Veränderungen begrüßen, das Gute in deiner Situation erkennen

Das *Rad des Schicksals* erinnert dich daran, dass das Leben eine gewisse Ungewissheit mit sich bringt – und dass du am besten diese Ungewissheit genießt. Es ist unmöglich, alle Variablen zu kontrollieren, und das macht unser Leben gerade so spannend. Das Rad der Zeit dreht sich immer weiter, und auch wenn du jetzt noch nicht weißt, wie – es hat die Lösungen für deine heutigen Probleme schon auf den Weg geschickt. Schakal, Sphinx und Schlange am drehenden Rad stehen für Werden, Sein und Vergehen. In den Ecken der Karte thronen ein Stier, ein Löwe, ein Engel sowie ein Adler, die allesamt mit Flügeln ausgestattet sind. Sie unterstützen dich mit der Kraft der vier Elemente (Erde, Feuer, Luft und Wasser) und lesen in ihren Büchern, um herauszufinden, wie sie dich am besten zu Lösungen führen können. Ich frage mich, ob sie in einer modernen Version auf Computer oder Smartphones starren würden.

Das *Rad des Schicksals* kündigt immer Veränderungen und Wandel an. Vielleicht hast du selbst Veränderungen auf den Weg gebracht, beispielsweise einen Umzug oder einen Jobwechsel, der von der Energie dieser Karte unterstützt wird. Möglicherweise geht es hier aber auch um überraschende Wendungen sowie scheinbar zufällige, schicksalhafte Begegnungen. Ob dies wirklich Zufall war oder ob das Universum diese Begegnung vielleicht für dich vorhergesehen hat? Das *Rad des Schicksals* möchte dich außerdem dazu einladen,

glückliche Wendungen zu erkennen in Ereignissen, die erst einmal als unglücklich erscheinen.
Es gab einen Zeitpunkt in meinem Leben, an dem ich mir nichts sehnlicher gewünscht habe, als die Zeit zurückdrehen zu können. Nach der Rückkehr aus dem Ausland nach einer gescheiterten Beziehung stand ich da: Ohne Möbel, ohne Wohnung, ohne Ersparnisse, ohne einen Partner – mit mittlerweile 32 Jahren fühlte ich mich wie die allergrößte Loserin. Ich glaubte, dass ich mir jegliche Sicherheit und Zukunftsperspektive verspielt hatte. Und machte mir große Vorwürfe für scheinbar übereilte, leichtfertige und dumme Entscheidungen, die ich getroffen hatte.
Doch das Rad dreht sich immer nur vorwärts und nie zurück, und das ist gut so. Denn dadurch, dass ich nicht in mein altes Leben zurückkehren konnte, habe ich so viele Dinge lernen dürfen. Ich habe gelernt, wie gut es sich anfühlt, selbst Verantwortung für meine Gefühle zu übernehmen. Ich habe die Erfahrung gemacht, wie wertvoll und wichtig es ist, Zeit mit mir selbst zu verbringen. Und ich habe gelernt, mich selbst wirklich zu achten und zu schätzen, mit allen meinen Stärken und Schwächen und trotz oder gerade wegen der Fehler, die ich gemacht habe.

Das Rad des Schicksals – umgekehrt

Auf dem Kopf liegend steht das *Rad des Schicksals* für das Nicht-Treffen von Entscheidungen. Du bist unzufrieden mit deiner Beziehung, mit deinem Job, mit deiner Fitness oder deiner Gesundheit, deiner Wohnsituation ... Aber du änderst nichts. Mach dir bewusst, dass du in der Vergangenheit durch dein Verhalten und deine Entscheidungen den Grundstein für deine heutige Gegenwart gelegt hast. Das bedeutet gleichzeitig, dass du in der Gegenwart die Basis für eine andere, schönere Zukunft schaffen kannst.

Wie du dich der Rad-des-Schicksals-Energie hingibst

1. Die Energie dieser Karte solltest du mit einer herzlichen Umarmung begrüßen und dich ihr hingeben – egal, wie unpassend das möglicherweise gerade erscheint. **Akzeptiere den Wandel** und alles, was gerade geschieht oder in jüngster Zeit geschehen ist. Was du in dieser Zeit brauchst, ist eine große Portion Vertrauen und Optimismus. Alles in deinem Leben passiert für dich. Mit welcher Veränderung auch immer du gerade zu tun hast, fokussiere dich konsequent auf die positiven Seiten dieses Wandels. Gut möglich, dass dir das schwerfällt. Dann brauchst du Unterstützung. Wer sind deine intelligenten Vertrauten in den vier Ecken der Karte?

2. Außerdem kannst du dir die Hilfe der **Edelsteine** zu Nutze machen. Besorg dir einen Rhodonit. Dieser kräftig rosafarbene, häufig mit dunklen Streifen durchwirkte Stein schenkt dir Zuversicht und bestärkt eine offene, aufgeschlossene Haltung Neuem gegenüber. Halte den Stein in deiner Hand und sprich entweder leise oder laut folgende Affirmation: *„Ich vertraue, dass alles in meinem Leben für mich passiert. Ich umarme jeden neuen Tag und alles Neue in meinem Leben. Ich erschaffe mir heute meine allerschönste Zukunft. Ich habe die volle Unterstützung des Universums und meiner Helfer und Helferinnen (nenn hier gern die Namen).“*

11 Gerechtigkeit

Jetzt ist die Zeit für:
Ungerechtigkeiten bekämpfen, dich mit Gleichgesinnten connecten, Toleranz, sachliche Diskussionen, einander zuhören

Diese Karte hat Tiefgang. Sie betrifft nicht nur dein eigenes Leben, sondern ruft dich dazu auf, einmal über Gerechtigkeit in dem System, in dem du lebst, nachzudenken. Es fällt mir selbst schwer, über diese Karte zu schreiben, denn *Gerechtigkeit* ist nicht gerecht verteilt in unserer Gesellschaft. Dafür gibt es unzählige Beispiele wie Diskriminierung, Ausbeutung von Menschen und Tieren, ungleiche Bezahlung und Aufstiegsmöglichkeiten im Beruf für Männer und Frauen, Sklaverei, die Schere zwischen Arm und Reich und über allem die Klima-Ungerechtigkeit. Wir in westlichen Ländern Leben auf Kosten der Ärmeren in Entwicklungsländern. Das ist nicht erst seit gestern so, aber die Folgen unseres Handelns werden die Menschen in ärmeren Ländern noch stärker zu spüren bekommen als wir selbst.

Schauen wir uns die Karte erst einmal genauer an. Alles in dieser Karte wirkt ausgeglichen. Justitia, die Göttin der *Gerechtigkeit*, wirkt objektiv und neutral. Ihr Gewand und der Umhang fallen ebenmäßig, genau wie der rote Vorhang, der zwischen zwei Steinsäulen gespannt ist. Was verbirgt sich wohl dahinter? Es lässt sich jedenfalls erahnen, dass Gerechtigkeit ein leuchtend gelbes Strahlen in die Welt bringen kann. In den Händen hält sie: links eine Waage – das Symbol für Gerechtigkeit und Ausgeglichenheit, rechts ein Schwert, das für Durchsetzen des Urteils steht: Es wird Recht gesprochen, und Gerechtigkeit wird siegen! Auch die Krone ist ein Hinweis dafür.

Wenn du dich in Streit oder Diskussionen befindest, ruft dich diese Karte dazu auf, Abstand zu nehmen von deinen Emotionen. In deiner Situation ist jetzt Sachlichkeit und Objektivität gefragt. Vielleicht probierst du gerade, jemanden von etwas zu überzeugen und die Diskussion zu gewinnen. Hast du dir die Sichtweise und die Argumente deiner Gesprächspartner*innen angehört, ohne gleich eine Meinung entgegenzusetzen?
Mach dir jedoch immer bewusst, dass du deine Meinung frei äußern kannst und deine Stimme erheben kannst. Suche dir ein oder zwei Themen, die dich am meisten berühren, und dann werde aktiv. Engagiere dich. Mache faktisch und gut informiert auf Missstände aufmerksam, z.B. mit kritischen Fragen, Demos, Petitionen, Posts auf Social Media ... Vernetze dich dabei unbedingt mit Gleichgesinnten, das gibt dir Kraft und Unterstützung und ein unbeschreibliches Gemeinsam-sind-wir-stark-Gefühl. Das Thema Nachhaltigkeit ist eine Herzensangelegenheit für mich. Ich möchte, dass unser großartiger Planet erhalten bleibt, in seinen schönsten Facetten mit sauberen Ozeanen, mit seiner überwältigend schönen Natur. Und ich wünsche mir, dass er für alle Menschen und für alle Lebewesen bewohnbar bleibt. Ich habe mich dazu entschlossen, mich bei Fridays for Future zu engagieren. Jede einzelne Minute, in denen wir Demos organisieren und streiken, fühle ich, wie Glückshormone in mir aufsteigen. Es gibt mir ein Gefühl von Hoffnung und stärkt mein Selbstbewusstsein.
Kleiner Ausflug in die Astrologie: Im Jahr 2020 ist ein neues astrologisches Zeitalter angebrochen, was ungefähr alle 200 Jahre passiert. Wir sind vom sogenannten Erdzeitalter, in welchem sich viel um persönlichen Besitz, das Anhäufen von materiellen Dingen und das Individuum gedreht hat, ins Luftzeitalter gewandert. Das Element Luft dreht sich um Verbindung, Vernetzung und Gemeinschaft. Die Karte *Gerechtigkeit* wird passenderweise dem Luftzeichen Waage zugeordnet, dem Tierkreiszeichen für Harmonie, Fairness, Respekt und einem liebevollen Umgang miteinander.

Gerechtigkeit – umgekehrt

Auf dem Kopf liegend repräsentiert diese Karte Ungerechtigkeit, Uneinsichtigkeit und Anti-Demokratie. Ein typisches Beispiel ist das Festhalten an konservativen Sichtweisen. Diese Karte möchte dir sagen, dass du deinen Standpunkt überdenken und dich für andere Perspektiven öffnen solltest. Wenn du die Person bist, die auf diese Wand von Konservativismus stößt, lass dich nicht entmutigen!

Wie du mehr Gerechtigkeit in diese Welt bringst

1. Informier dich über die **Themen**, die dir am Herzen liegen. Nutze dazu Quellen, die vertrauenswürdig sind (orientiere dich an Fachbüchern, wissenschaftlichen Artikeln etc.). Committe dich und forme eine klare Meinung. Was muss sich ändern für mehr Gerechtigkeit in der Sache, in der du dich engagierst? Sei dennoch offen anderen Standpunkten gegenüber.

2. Vernetz dich mit **Gleichgesinnten** und hol dir Verstärkung. Gibt es eine Organisation, der du dich anschließen kannst für Networking? Das gemeinsame Kämpfen für dasselbe Ziel verbindet ungemein und gegenseitiger social support macht euch noch stärker, auch in schwierigen Zeiten.

12 Der Gehängte

Jetzt ist die Zeit für:
Meditieren,
Stillstand aushalten,
Entschleunigung, Achtsamkeit,
eine andere Sichtweise einnehmen

Eine so wichtige Karte! Insbesondere heute, in unserer schnelllebigen, digitalisierten Welt. Anstatt Multitasking, höher, schneller, weiter, verkündet *der Gehängte*: Es ist gerade goldrichtig, einfach mal Nichts zu tun. Das fällt vielen Menschen verdammt schwer. Du siehst auf dem Kartenbild auch, dass *der Gehängte* in einer nicht gerade komfortablen Pose ausharrt. Er hängt kopfüber, an einem Bein festgebunden, an einem Baum. Es fällt also auch ihm nicht leicht, Nichts zu tun. Doch er erträgt diesen Schmerz mit einer Portion Sanftmut, wohlwissend, dass er durch den Schmerz zur Erleuchtung gelangt.

Es geht jetzt darum, aus deinem Autopilotprogramm auszusteigen. Keine unmittelbaren Entscheidungen zu treffen, entgegen deiner Impulsivität und dem Streben, Probleme direkt lösen zu wollen. Ebenso geht es darum, sich nicht mehr konstant durch Medien, Arbeit und Termine von einer Innenschau abzulenken. Stattdessen: Sei mit deinen Problemen, halte die Situation aus. Beobachte, was passiert, wenn du dich anders verhältst als sonst und nicht sofort aktiv wirst. Mal nicht schlagfertig oder vorschnell antworten auf die Fragen, die dir gestellt werden.

Meine ehemalige Psychologin gab mir den Rat, einen Mindfulness-Kurs zu besuchen. Sie sagte mir, sie könne selbst nichts mehr für mich tun, legte mir jedoch diesen Kurs ans Herz. Wir trafen uns wöchentlich mit einer Gruppe Mindfulness-Anfänger, um zweieinhalb Stunden beinah ausschließlich zu meditieren. In Stille. Mit geschlossenen Augen. Ja, Entspannung sieht anders aus. Mir gingen so wahnsinnig viele Gedanken durch den Kopf. Und während ich zuhause schon längst aufgestanden wäre, um was zu tun oder zumindest Fernseher oder Radio eingeschaltet hätte, wollte ich mich hier der sozialen Norm der Mitmeditierenden anpassen. Das war anfangs echt hart. Doch unter dem gefühlten Gruppendruck hielt ich stand, anstatt wegzulaufen. Schon nach relativ kurzer Zeit stellte sich sehr wohl ein gewisser Entspannungseffekt ein bei den Meditationen. Rückblickend gesehen glaube ich, dass dieser Kurs das Beste war, was ich je gewagt habe. Durch das Aushalten des Nicht-Handelns habe ich die Erleuchtung gewonnen, dass es absolut nicht nötig ist, alles schnell zu entscheiden, schnell zu antworten und möglichst viel in kurzer Zeit zu schaffen.

Der Gehängte – umgekehrt

Der auf dem Kopf liegende *Gehängte* steht eigentlich aufrecht. Er hängt nicht mehr. Oder noch nicht. So wie jemand, der den Weg des geringsten Widerstands wählt. Du hast es dir vielleicht gerade bequem eingerichtet in deiner Komfortzone, aber so richtig zufrieden bist du auch nicht. Wer nicht wagt, der nicht gewinnt. Es ist die Zeit gekommen, dich aus deiner Komfortzone zu bewegen und über dich selbst hinauszuwachsen.

Wie du dich mit dem Gehängten in Gelassenheit und Akzeptanz übst

Der Gehängte ist DIE Karte der **Meditation**. Wenn du noch nie meditiert hast, sei dir sicher: Aller Anfang ist schwer. Es geht darum, genau diese Schwierigkeit auszuhalten– dann wirst du im Laufe der Zeit die Belohnung spüren.

Du kannst dir auch geführte Meditationen mit Apps oder auf YouTube anhören oder dich gleich bei einem Achtsamkeitskurs anmelden (für den positiven Gruppendruck).

Du kannst aber auch erst einmal versuchen, einige Minuten an einem ruhigen Ort komplett in Stille auszuharren. Setze dir hierfür vorher ein Minutenziel und stelle dir eventuell einen Timer, zum Beispiel auf 5, 10 oder 15 Minuten. Mach es dir in einem aufrechten Sitz, der sich für dich gut anfühlt, bequem, zum Beispiel im Schneider- oder Meditationssitz (achte aber darauf, dass die Knie den Boden berühren oder lege dir Kissen unter). Leg deine Hände in deinen Schoß oder auf deine Oberschenkel und schließe deine Augen. Atme einige Male tief ein und wieder aus. Atme ein durch die Nase und aus durch den Mund. Ruhig so, dass man das gut hört. Lass dann deinen Atem in seinem natürlichen Rhythmus fließen. Bleibe nun so für die Zeitspanne, die du dir vorgenommen hast. Nimm zur Kenntnis, dass deine Gedanken da sind. Das ist ganz normal. Deine Gedanken sind wie kleine und große Wolken, die kommen und dann wieder vorbeiziehen. Lass es geschehen.

13 Tod

Jetzt ist die Zeit für:
Loslassen, Schmerz und Trauer zulassen,
Abschied nehmen,
tiefe Transformation,
Raum für Neues schaffen

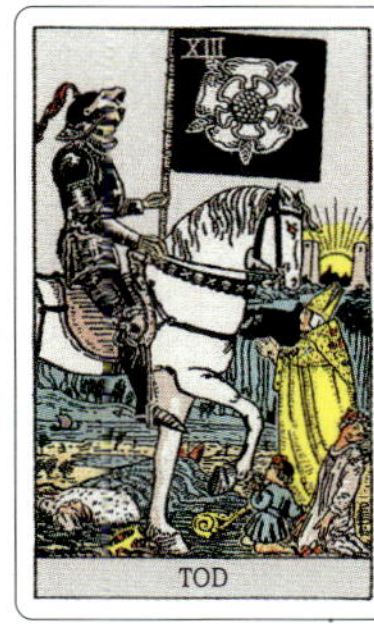

Der *Tod* ist eine der – zu Unrecht – meistgefürchteten Karten im Tarot. Die Karte löst oft erst einmal Angst oder Unbehagen aus. Zugegeben, das Bild finde ich etwas abstrus. Ein Skelett in einer Rüstung reitet auf einem weißen Pferd mit roten Augen gen Horizont. Am Boden liegt ein toter König, den das Skelett hinter sich lässt.
Mittlerweile weiß ich, dass es hier nicht um das Sterben eines Menschen geht, sondern um das Sterben eines Teiles vor mir, der mir nicht mehr nutzt. Der *Tod* steht für Transformation und Wandlung. Durch das Loslassen von Altem schaffst du Raum für Neues, Besseres. Jetzt ist die Zeit gekommen, Altes in Frieden gehen zu lassen. Hierbei kann es beispielsweise um Verhaltensmuster und Gewohnheiten gehen, die dich immer wieder in Situationen führen, die du eigentlich gar nicht willst. Oder um Glaubenssätze, die dir einreden, wie klein, hilflos, unsichtbar, unwichtig oder dumm du bist. Oder um Erfahrungen aus deiner Vergangenheit. Manchmal geht es hier auch um Beziehungen, die dir so, wie sie jetzt sind, nicht mehr dienen. Wofür steht der verstorbene König in deinem Leben? Was möchte zurückgelassen werden, damit du dich befreit und wie neugeboren fühlen kannst? Auch wenn es verdammt schwierig ist: Mach dir bewusst, dass dieser Prozess deiner persönlichen Weiterentwicklung dient.
Ich würde der Karte allerdings Unrecht tun, wenn ich nicht auch auf den Tod als Lebensereignis eingehen würde. Das heißt – nochmals – nicht, dass diese Karte deinen eigenen oder den Tod

eines geliebten Menschen ankündigt. Er ist jedoch eine Einladung an dich, dich einmal mit dem Thema Tod zu beschäftigen. Unser Leben auf der Erde ist endlich, und erst, wenn wir das wirklich begreifen, können wir dieses Geschenk, hier sein zu dürfen, voll auskosten. Die Karte möchte dich außerdem an alle Menschen und Tiere erinnern, die du durch ihren Tod bereits loslassen musstest.

Mein Vater ist gestorben, als ich 15 war. Er war an Demenz erkrankt und lebte wegen der Schwere seiner Krankheit in einer Pflegefamilie. Er starb in meinen Schulferien, so dass ich einige Wochen trauern konnte, bevor ich wieder in die Schule musste. Doch die Trauer war damit nicht vorüber. Trauer kennt eine Ebbe und eine Flut. Wenn du gerade denkst, es kann dich nicht mehr so berühren, schlägt die nächste Trauerwelle zu. Heute weiß ich, dass ein Teil des Schmerzes immer dableibt. Aber ich konnte meinem Schmerz den Sinn geben, nicht alles selbstverständlich hinzunehmen, und dankbar für die Menschen zu sein, die bei mir sind.

Der Tod – umgekehrt

Auf dem Kopf liegend ist diese Karte ein Hinweis dafür, dass du etwas nicht gehen lassen willst, obwohl es bereits vorüber ist. Das krampfhafte Festhalten an Dingen, die mal gut waren, aber jetzt gar nicht mehr passen. Auch hier ist die Botschaft: Befreie dich selbst, indem du loslässt und Raum für Neues, viel Schöneres schaffst.

Wie du durch den Tod eine powervolle Transformation erfährst

1. Zu dieser tief transformierenden und mystischen Karte passt ein **Ritual** zum Loslassen aus der weißen Magie. Am besten funktioniert es bei abnehmendem Mond, da er das Loslassen unterstützt. Suche dir einen ruhigen Ort drinnen oder

draußen, an dem du sicher ein kleines Feuer machen kannst. Zünde dir eine weiße Kerze an, für deine innere Reinigung, eine rote Kerze für deine Power oder eine lilafarbene Kerze für deine tiefe Transformation. Schreibe nun im Kerzenlicht einen Brief an den Menschen, die Überzeugungen, Gewohnheiten oder Erfahrungen, die du loslassen möchtest. Formuliere darin, warum du dich befreien willst und wie du dich fühlen wirst, nachdem du losgelassen hast. Verabschiede dich in Würde. Rufe nun den Geist des Feuers hinzu und bitte ihn, dich beim Loslassen zu unterstützen. Nun verbrennst du den Brief über einer der Kerzen und lässt die Asche in ein feuerfestes Gefäß fallen. Wenn der Brief komplett ausgebrannt und das Feuer erstickt ist, bedanke dich bei dem Feuergeist und dem Mond für ihre Unterstützung. Vergrabe dann die Asche in der Erde oder wirf sie in einen Fluss.

2. Wenn es dir schwerfällt, einen bestimmten Menschen loszulassen, hilft dir die magische **Loslass-Kiste**. In dieser sammelst du alle Gegenstände und Fotos, die dich an diese Person erinnern. Schreibe auf einen Zettel: *Liebes Universum, ich bitte dich, mir zu helfen, (Name) loszulassen und mich wieder voll und ganz auf mich zu konzentrieren.*
Lege diesen Zettel mit in die Kiste. Platziere die Kiste an einem Ort in deiner Wohnung, an der sie dir ab und zu ins Auge fallen wird, denn Loslassen ist ein Prozess. An einem Punkt in der Zukunft, den du selbst bestimmst, wirst du fühlen, dass der Zeitpunkt gekommen ist, dich auf deine Art und Weise von der Loslass-Kiste zu verabschieden (vielleicht möchtest du die Gegenstände in der Kiste dann wegwerfen oder zurückgeben).

14 Mässigkeit

Jetzt ist die Zeit für:
die Verbindung zu deinen Gefühlen, innere Reinigung, Balance finden, Higher Self Power, in Liebe und Mitgefühl strahlen

Auf dieser Karte siehst du einen strahlenden Engel, den Erzengel Michael, der seine gewaltigen Flügel ausgebreitet hat. Hingebungsvoll und voller Muße schüttet der Engel Wasser von einem Kelch in den anderen. Wasser steht im Tarot immer für Gefühle; diese dürfen hier fließen und werden sicher im zweiten Kelch aufgefangen. Auch einen Fuß hat der Engel in ein fließendes Gewässer getaucht. Er ist also ständig mit seinen Gefühlen verbunden. Somit steckt also zuallererst einmal ganz viel Gefühl in dieser Karte: Die Verbindung zu deinen eigenen Gefühlen, das Sich-Reinigen und Frei-Machen von „niederen" Gefühlen und das Fließen-Lassen von „höheren" Gefühlen wie Liebe, Vergebung und Frieden. Hieraus entsteht Mitgefühl – für dich selbst und Andere.

Die gute Nachricht ist: Du bist dieser Engel. Er ist sozusagen die beste und reinste Version von dir – auch dein höheres Selbst oder *Higher Self* genannt. Wenn du diese Karte gezogen hast, fordert sie dich auf, dich (noch) bewusster mit deinem inneren Engel zu verbinden. Dein innerer Engel ist voller Liebe und Mitgefühl, welches er in die Welt hinausstrahlt und dadurch auch wieder zurückempfängt. Er handelt nicht aus Angst, Wut, Rachsucht, Habgier, Scham oder Neid heraus. Versteh mich nicht falsch: Diese Gefühle sind menschlich und ganz normal. Dein innerer Engel jedoch hat die Fähigkeit, diese Gefühle zu erkennen und zu transformieren. Er sagt dir: „Ich kann dir zeigen, wie du vergeben kannst. Dann kannst du deine Flügel wieder ausbreiten und mit deiner Liebe die Welt erleuchten." Mal ehrlich: Klingt das nicht so viel besser, als im Zorn vor sich hinzuschmollen?

Mit deinem inneren Engel als Kompass kannst du schwierige Situationen gelassener angehen und zu Ende bringen. Der Engel ruht in sich selbst und nimmt dankbar und zufrieden an, was ihm widerfährt. Er weiß, dass alles, was in seinem Leben passiert, für ihn ist, und nutzt auch schwierige Situationen, um darin Gelassenheit zu üben und daran zu wachsen.

Konkret geht es also bei dieser Karte darum, in Verbindung zu kommen mit deinem *Higher Self*. Es geht darum, die Energie in deinem Körper zum Fließen zu bringen, falls diese gerade irgendwo blockiert ist. Du oder etwas sollte in Harmonie kommen und ausgeglichen werden.

Mäßigkeit – umgekehrt

Wenn du diese Karte umdrehst und sie betrachtest, kannst du dir vorstellen, wie die wertvolle Wasserenergie in alle Richtungen von dir wegfließt. Damit deutet diese Karte umgekehrt ein (Gefühls-)Chaos und starke Unausgeglichenheit an, die zur Erschöpfung führen. Dieses Chaos in deinem Leben und/oder in deiner inneren Welt erzeugt ganz viel negative Energie und lässt der positiven Energie keinen Raum. Nimm dir eine Pause von dem Chaos, von dem Drama. Zeit in der Natur, vorzugsweise an einem ruhigen Fluss, Bach oder Wasserfall hilft dir dabei, wieder ins Gleichgewicht zu finden.

Wie du deine Engelsflügel ins Unendliche wachsen lässt

1. Schließe einmal die Augen und stell dir vor, dass du dieser **Engel** bist. Dieser wunderschöne, strahlende, reine Engel mit seinen kraftvollen Flügeln, der vollkommen in Einklang mit sich und der Welt ist. Der voller Freude, Liebe und Mitgefühl leuchtet. Wie sieht diese allerbeste Version von dir aus?

2. Hier noch eine kleine Anleitung, wie du sogenannte „niedere" **Gefühle** in positive Gefühle umwandeln kannst. *Neid:* Konzentriere dich auf das, was in deinem Leben bereits gut ist und wofür du dankbar bist. Wenn du neidisch bist auf eine andere Person, frag dich, was du von ihr lernen kannst. Neid entsteht häufig durch Selbstzweifel; versuche deinen Glaubenssätzen auf den Grund zu gehen, die diese Zweifel auslösen. *Angst:* Wir haben die Neigung, Angst wegzudrücken und so zu tun, als sei sie nicht da, oder aber, sie sehr ernst zu nehmen und groß zu machen. In beiden Fällen beherrscht sie dann unser Leben. Akzeptiere deine Angst. Lass sie da sein. Wenn du sie verspürst, behandle sie wie eine Freundin: Gib deiner Angst einen Namen und begrüß sie freundlich. Sag ihr, dass du es schätzt, dass sie dich beschützen will und dass du nun trotzdem wählst, mutig deinen Weg zu gehen. Wut: Auch Wut ist völlig normal. Sie kann allerdings explosiv werden, wenn wir sie zu lange unterdrücken. Dann kann sie sich in körperlichen Beschwerden manifestieren oder in einem unkontrollierbaren Wutausbruch enden. Mit unterdrückter Wut geht auch häufig das Gefühl andauernder Genervtheit einher. Finde Strategien, deine Wut rauszulassen, ohne deinen Beziehungen zu schaden, z.B. beim Sport, indem du sie im Wald rausschreist, in ein Kissen boxt oder sie in künstlerische Bahnen leitest.

15 Der Teufel

Jetzt ist die Zeit für:
Dich mit deinen (Sehn-)Süchten auseinandersetzen, deine dunkle Seite beleuchten, Tabus brechen, Fesseln durchtrennen, ungesunde Verhaltensweisen ablegen

Diese Karte ist unheimlich und faszinierend zugleich. *Der Teufel,* der dort vor dem pechschwarzen Hintergrund thront mit seinem grimmigen Gesicht, seinen spitzen, behaarten Ohren und dem Körper, der eine Mischung aus Mensch und Tier zu sein scheint. Er hat zwei menschliche Wesen – eine Frau und einen Mann – an Ketten gelegt. Wie mögen die beiden in seine Fänge geraten sein? Was ist vor diesem Bild passiert und was steht den beiden nun bevor? Ein Mix aus Leidenschaft, menschlichen Abgründen und Tabus spricht aus dieser Karte. Sex, Drugs and Rock'n Roll. Leidenschaften, die uns faszinieren und uns kurzfristig Befriedigung verschaffen. Auf lange Sicht sind sie jedoch schädlich. Leidenschaften, die uns gefangen halten, obwohl wir ausbrechen wollen. Die Versuchung ist immer wieder groß. Wie keine andere Karte verkörpert der Teufel Süchte. Alkoholismus, Drogensucht, Kaufsucht, Internetsucht, Handysucht und Sexsucht, ebenso wie toxische Beziehungen und Co-Abhängigkeiten. Neben Süchten und Abhängigkeiten – sei es von gewissen Substanzen, von Verhaltensweisen oder Personen –, steht der Teufel für Scham und Tabus. Er ruft dich dazu auf, dich mit deinen dunklen Seiten zu beschäftigen. Wo handelst du nicht im Einklang mit deinen Werten? Wo stehst du nicht für deine Vorstellungen, deine Wahrheit ein? Wenn du es schwierig findest, diese Fragen für dich zu beantworten, stell dir einmal folgende Frage: Welche Eigenschaften verabscheust du bei Anderen? Eine Allergie

gegen ein bestimmtes Verhalten gibt dir Aufschluss über eigene Schattenanteile, die du bei dir selbst nicht akzeptieren willst, und sie daher verleugnest. Wenn du den Teufel ziehst, geht es also darum, zu erkennen, an welchem Punkt du dich selbst belügst. Wo traust du dich nicht, genau hinzuschauen? An welcher Stelle machst du dir selbst etwas vor?
In einer Phase meines Lebens, als ich mein Single-Dasein voll auskostete, habe ich auch vermehrt den *Teufel* gezogen. Ich erinnere mich noch besonders an einen One-Night-Stand, dem ich verzweifelt hinterherrannte. Erst als ich endlich einsah, dass er nichts weiter von mir wollte, konnte ich die Ketten sprengen.

Der Teufel – umgekehrt

Auf dem Kopf liegend ist die Deutung des *Teufels* etwas erfreulicher. Lies dir auf jeden Fall erst einmal die aufrechte Bedeutung der Karte durch. Dann kommt jetzt die gute Nachricht für dich: Du stehst schon ganz kurz vor dem Befreiungsschlag. Du hast deine dunklen Seiten erkannt und sie dir angesehen. Du weißt, wo du gegen deine Wertvorstellungen handelst und wie du dein Leben gestalten möchtest. Du weißt auch, von wem oder was, von welchen Glaubenssätzen und Verhaltensweisen du dich lösen musst. Jetzt musst du nur noch den letzten Schritt gehen und die Ketten durchtrennen oder dich geschickt herauswinden. Du schaffst das!

Wie du dich aus den Ketten des Teufels befreist

Wenn du für dich herausgefunden hast, welches Verhalten *der Teufel* in deinem Leben symbolisiert, hast du schon einen großen Schritt getan. Du traust dich, ehrlich zu dir selbst zu sein, welches die erste Voraussetzung ist, um den *Teufel* aus deinem Leben zu verbannen. Nimm dir einmal ein Stück Papier und zeichne **zwei Spalten** auf:

1.: Mein weiteres Leben mit dem Teufel und
2.: Mein weiteres Leben ohne den Teufel.

Wie sieht dein weiteres Leben aus, wenn du dich weiterhin den schädlichen Leidenschaften hingibst? Was hingegen tun sich für Möglichkeiten auf, wenn du stattdessen eine gesunde Verhaltensweise wählst? Visualisiere vor deinem inneren Auge, wie du das Glück anziehst. Wenn du nun für dich klar vor Augen hast, wovon du gerne mehr in deinem Leben haben willst und was du dafür hinter dir lassen musst, frage dich: Was ist der erste kleinstmögliche Schritt, den ich tun kann, um meinem Ziel näherzukommen? Stelle dir anschließend die Vertrauensfrage: Wieviel Vertrauen (auf einer Skala von 0 bis 10) habe ich, mein Ziel zu erreichen? Wenn du dein Vertrauen gering einschätzt (kleiner als 7), ist das keine Schande. Es ist dann jedoch an der Zeit, dass du dir (professionelle) Hilfe suchst. Vor allem, wenn *der Teufel* einen großen Raum in deinem Leben einnimmt, beispielsweise in Form einer Sucht, ist es ratsam, ihn mit Unterstützung zu bekämpfen.

16 Der Turm

Jetzt ist die Zeit für:
Alte Muster durchbrechen, Wandel zulassen, deine wahren Werte finden, einen authentischen Neuanfang, deine persönliche Revolution

Der Turm ist – ähnlich wie der *Tod* und *der Teufel* – eine Karte, die oft Angst auslöst. Der rabenschwarze Himmel, die grauen Wolken, die dieselbe Farbe haben wie der hässliche Turm. Ein Blitz schlägt in das Dach ein, das Feuer hat sich schon vom Dachstuhl durch die Fenster gefressen. Zwei Menschen stürzen herab. Das rote Gewand der rechten Person nimmt die Gestalt von Flammen an. Eine riesige Krone stürzt auch vom Dach des Turmes. Was wir hier sehen, ist Absturz, Einsturz, der Verlust von etwas, das du als wertvoll empfunden hast, mit dem du dich identifiziert und geschmückt hast. Alles geht ganz schnell, mit einem gewaltigen Knall. Und auch, wenn es dich dermaßen überrascht, dass es sich anfühlt wie ein tiefer Fall: Eine böse Vorahnung hattest du schon seit geraumer Zeit. Der Turm, den du dir aufgebaut hattest, steht nicht auf festem Fundament. Auch ein Gewitter kommt in den meisten Fällen nicht vollkommen aus dem Nichts: Schwüle Tage mit sich aufstauender Hitze gehen ihm voran. *Der Turm* folgt auf den *Teufel*. Ein weiterer Hinweis darauf, dass du wusstest, dass du nicht ewig so weitermachen kannst.
Diese Karte steht für eine schnelle, plötzliche Veränderung in deinem Leben, die du im ersten Moment als unangenehm und schmerzlich empfinden kannst. Es kann hierbei beispielsweise um eine Trennung, einen Verlust, eine Kündigung gehen. *Der Turm* steht für eine Ent-Täuschung. Wie lange hast du dich täuschen lassen oder dir selbst etwas vorgetäuscht? Häufig, aber

nicht immer, geht es beim *Turm* um ein einschneidendes Lebensereignis. Sicher ist, dass das Turmereignis dich nachhaltig beeinflussen wird. Mit dem Einsturz des Turmes kannst du alte Wertesysteme und Denkmuster loslassen. Wie nach einem heftigen Gewitter ist die Luft danach klarer und reiner. Wenn der Turm zerbrochen ist, kannst du dir aus den Trümmern und/oder aus neuen Steinen, vielleicht an einem anderen Ort, etwas Neues aufbauen, was von Grund auf deinem wirklichen Ich entspricht. In zwischenmenschlichen Beziehungen kann der Turm auch für einen heftigen Streit stehen, der entweder zum Gehen getrennter Wege oder aber für einen Neubeginn mit geklärten Fronten steht. Somit ist der Turm eine Revolution, die zur Befreiung führt.

Der Turm – umgekehrt

Wenn du diese Karte auf dem Kopf liegend ziehst, hast du eine Riesenangst vor Veränderung. Es ist so, als ob du alles, was in deiner Macht steht, tun willst, um den Einsturz des Turmes zu verhindern. Du hast Angst, dass dir etwas weggenommen wird: Bequemlichkeit, Statussymbole, Macht, eine Beziehung, die nicht mehr funktioniert. Warum bedeuten dir diese Dinge so viel, obwohl eigentlich schon längst klar ist, dass du den Wandel nicht aufhalten, sondern allenfalls hinauszögern kannst?
Diese Karte erinnert mich daran, wie die Politik und große Weltkonzerne mit der Klimakrise umgehen: Obwohl die Wissenschaft klar aufgezeigt hat, dass ein radikaler und schneller Wandel erforderlich ist, um unseren Planeten und damit den Fortbestand der Menschheit zu retten, versuchen die Mächtigen in dieser Welt noch alles, um dagegen zu argumentieren, die Krise kleinzureden und ihre klimaschädlichen Machenschaften fortzusetzen. Warum? Weil sie an ihren Gewohnheiten, an ihrem Stolz und ihrer Macht festhalten wollen. Weil sie Angst haben vor Veränderung. Was wird die Folge sein, wenn sich nichts ändert? Richtig, ein unglaublich heftiger Turmeinsturz mit irreparablen Schäden.

Wie du die Turm-Energie überstehst und aus ihr gestärkt emporwächst

1. Lass dich auf die Veränderung ein und akzeptiere, was passiert. Mach dir bewusst, dass der Umbruch *meant to be* ist und dich letztendlich stärker und freier macht. Es gibt eine heilende Yogaübung (Asana), die dich im Annehmen und Akzeptieren unterstützt und dich mit der Erde verbindet: die **Haltung des Kindes**. Dazu setzt du dich in den Fersensitz und lässt von dort aus deinen Oberkörper auf den Boden sinken, so dass deine Stirn den Boden berührt. Grätsche deine Beine leicht, so dass dein Gesäß richtig Boden sinkt. Die Arme legst du entspannt nach hinten ab. Verharre solange, wie du es als angenehm empfindest, und atme dabei tief durch die Nase ein und aus.

2. Mache in dieser herausfordernden Zeit das, was immer dir wirklich **guttut**. Weinen, laut Musik hören, die Wut beim Sport rauslassen, dich in den Wald stellen und schreien oder einen Baum umarmen, dir den Schmerz von der Seele reden oder schreiben ... – alles ist erlaubt.

3. Kuschel dich in deine bequemsten Klamotten und iss warmen Vanillepudding oder Schokopudding, wie du magst. Alles, was dein Herz von innen **wärmt** und dir ein Gefühl von Geborgenheit schenkt, hilft dir durch diese Lebensphase.

17 Der Stern

Jetzt ist die Zeit für:
Neue Hoffnung schöpfen, deiner Inspiration folgen, Verletzungen heilen, deine Einzigartigkeit als Geschenk erkennen, deine Bedürfnisse erfüllen

Diese Karte ist die *„Alles ist gut"*-Karte. Sie kommt zu dir nach einer anstrengenden Zeit, in der du über deine Grenzen hinausgegangen bist, sehr hart gearbeitet hast oder zu wenig auf dich selbst geachtet hast. Dabei ist es gar nicht nötig, dass du perfekt bist oder sein möchtest. Gut ist gut genug. *Der Stern* möchte dich in den Arm nehmen und dir sagen: Du bist schon perfekt, und zwar genau so, wie du bist. Es ist nicht nötig, der*die Schönste, Klügste, Schnellste, Beste, Erfolgreichste sein zu wollen. Du bist ein Wunder, allein schon dadurch, dass du auf dieser Erde bist.

Der Stern symbolisiert die Heilung und das Schöpfen neuer Energie und Hoffnung. Nach einer schmerzvollen Phase geht es nun wieder bergauf. Langsam, Stückchen für Stückchen. Sieh dir diese wunderschöne Karte einmal näher an: Eine vollkommen nackte Frau kniet am Ufer eines Gewässers. Die Nacktheit demonstriert ihre Verletzlichkeit und zugleich ihre Vollkommenheit. Sie gießt mit einem Kelch (Lebens-)Wasser in das Gewässer, mit einem anderen Kelch Wasser auf die blühende Erde vor ihr. Sie weiß, dass es jetzt wichtig ist, auf ihre eigenen Bedürfnisse zu achten und sich voller Liebe und Achtsamkeit sich selbst zu widmen. Über ihr am Himmel leuchten die Sterne – einer davon besonders groß und strahlend. Dieser symbolisiert neue Kraft und Hoffnung für deinen weiteren Weg.

Der Stern kam zu mir, als ich im wahrsten Sinne des Wortes den Einsturz des *Turms* erlebt hatte. Innerhalb von einem Jahr hatte sich mein Leben mehrfach komplett gewendet. Ich war von einer langjährigen Beziehung in eine toxische Beziehung gestürzt, für die ich sogar ans andere Ende der Welt zog. Wenige Monate, eine Hochzeit, eine Scheidung und eine Fehlgeburt später, war ich wieder in Deutschland – vor den Scherben meiner Existenz. Stück für Stück baute ich mir wieder mein eigenes, unabhängiges Leben auf. Mir wurde bewusst, dass ich früher alles auf einmal in viel zu kurzer Zeit gewollt hatte. In meinem Perfektionswahn war ich unglaublich hart zu mir selbst und schnell unzufrieden. Der Stern hat mir gezeigt, dass alles schon gut ist und dass ich auf dem richtigen Weg bin. Wichtig dabei ist, Konsequenzen zu ziehen aus dem, was war. Welchen Schmerz hast du durchlebt und was hast du daraus gelernt? Was möchtest du nicht mehr in deinem Leben? Was und wer hingegen tut dir gut, wovon möchtest du mehr in deinem Leben? Richte deine Energie auf das, wovon du mehr möchtest, und sei dankbar für all das Wundervolle, das schon da ist.
Der Stern steht darüber hinaus für Inspiration, Visionen und Träume. Jetzt ist die Zeit gekommen, um deine bezaubernden Ideen ernst zu nehmen und dich zu trauen, dein Leben nach deinen Träumen zu gestalten.

Der Stern – umgekehrt

Umgekehrt symbolisiert *der Stern* dein verletzliches, authentisches ich. Wenn du den Mut hast, dich so zu zeigen, wie du wirklich bist, mit all deinen kleinen Makeln, wirst du echte Nähe zu anderen Menschen sowie in einer Partnerschaft spüren.

Wie du noch mehr Sternen-Energie in dein Leben bringst

Es gibt so unendlich viele Wege, die Sternen-Energie in dir zu fördern, wie der Himmel voller Sterne ist. Sternen-Energie, das ist alles Weite, Grenzenlose, Heilsame und kraftvoll Strahlende. Sternenenergie, das sind außerdem deine Träume, Inspirationen und Visionen.

1. Begib dich in einer sternenklaren Nacht nach draußen und schau in den **Himmel**. Schreib dir unter der unendlichen Weite des Himmelszelts deine allergrößten Träume auf. Trau dich, diese in den buntesten Farben auszumalen, ohne Wenn und Aber. Wie fühlt es sich an, grenzenlos zu träumen?

2. Die Sternen-Energie hat auch viel mit **Wasser** zu tun. Wasser ist Fülle, Leben, nährend und heilend, indem es alte Verletzungen wegspült. Das Beobachten von stillen Gewässern wie einem See sowie das Baden darin tut dir jetzt besonders gut. Unter dem Sternenhimmel wird dies noch weiter begünstigt mit magischer, träumerischer Kraft (tagsüber ist es aber auch okay). Wenn das Baden draußen gerade nicht möglich ist, nimm dir Zeit, um die heilende Energie des Wassers auf deiner Haut unter der Dusche oder in der Badewanne bewusst zu spüren.

3. *Der Stern* ist darüber hinaus meine absolute **Yogakarte**. Yoga vereint auf so wundervolle Weise Ruhe und Bewegung und lehrt dich, auf deinen Körper zu hören. Yoga ist Heilung und Vergebung. Yoga hilft dir, dich mit deinem wahren Inneren zu verbinden, anstatt dich zu sehr von äußeren Reizen beeinflussen zu lassen.

18 Der Mond

Jetzt ist die Zeit für:

Ängste akzeptieren, Schattenseiten beleuchten, dysfunktionale Glaubenssätze erkennen, verborgene Sehnsüchte wahrnehmen, im Einklang mit dem Mond leben

Der Mond ist eine wahnsinnig vielschichtige, spannende Karte, deren Bedeutung wirklich zu verstehen mir anfangs schwerfiel. Ein Hund und ein Wolf heulen den Mond an. Besonders der rechte Wolf sieht echt abgefuckt aus: Seine Augen sind rot wie blutunterlaufen, seine Zähne sind gefletscht, seine Ohren angelegt und sein Schwanz ist ganz buschig. Er verbreitet eine aggressiv-ängstliche Stimmung. Noch ein Tier ist auf dem Bild zu sehen: ein Skorpion, der aus dem Wasser kriecht. So, als wolle er sich auf den langen Weg machen, der vor ihm liegt und der vom Mondlicht angestrahlt wird.

Der Mond ist mir sehr oft in Legungen erschienen und hat mir geholfen, Licht auf meine Schatten zu werfen. Er möchte dir sagen, dass es okay ist, Angst zu haben. Angst ist menschlich und hat auch eine lebenswichtige Funktion. Angst ist außerdem niemals unberechtigt. Geh also erst einmal in den Kontakt mit deiner Angst, lass sie wie eine Freundin da sein. Oftmals verstecken sich hinter der Angst auch Überzeugungen, die wir irgendwann angefangen haben über uns selbst zu glauben.

Stell dir vor, du hast einen Keller voller Gerümpel, voller Dinge, die du nicht brauchst, von denen du viele Dinge vielleicht sehr wohl loswerden willst, aber es viel zu mühselig ist, dort einmal richtig aufzuräumen. So ungefähr verhält es sich bei vielen Menschen mit Ängsten und dysfunktionalen Glaubenssätzen. Da wird in den Keller gestellt und nicht mehr richtig hingeguckt.

Sie sind jedoch immer da, weil du nicht aufräumst und loslässt. Auf diese Weise beschweren sie dich.
Der Mond möchte dir also helfen, erst einmal Licht in dein Dunkel zu bringen. Deine Schattenseiten, deine Scham und deine Ängste zu beleuchten und wirklich hinzusehen. Danach kannst du endlich anfangen, im Keller mal so richtig Ordnung zu schaffen. Mach erstmal die Tür zu deinem Keller vorsichtig auf. Was siehst du als Erstes da unten? Was stört dich am meisten? Diese Karte will dir zeigen, dass du keine Angst vor deinen Ängsten und unbewussten Gefühlen haben musst, sondern sie liebevoll annehmen kannst.
Der Mond wird übrigens dem Sternzeichen Fische zugeordnet. Damit steht er auch für alles, was tief im Verborgenen liegt: neben Schattenseiten und versteckten Ängsten auch für versteckte Träume und Sehnsüchte.

Der Mond – umgekehrt

Auf dem Kopf liegend steht *der Mond* für eine tiefe Verwurzelung von Ängsten und negativen Gedanken, die dein tägliches Leben extrem erschweren. Hier kann die Sprache sein von Angststörungen, einem Trauma, Albträumen, Schlafstörungen und Depressionen. Bitte trau dich, professionelle Hilfe anzunehmen.

Wie du die volle Mondenergie ausschöpfst

Früher war das Wissen über den Mondzyklus viel mehr in der Gesellschaft verbreitet. Mittlerweile ist dieses wertvolle Wissen jedoch in den Hintergrund geraten. Deswegen hier ein kleiner Crashkurs **Moonology**, damit du mit der Mondenergie handeln kannst.

Der Mond durchwandert in 29,5 Tagen einen Zyklus. Angefangen beim Neumond, woraufhin er etwas mehr als 14 Tage zunimmt, bis er in seiner ganzen Strahlkraft als Vollmond am Himmel steht. Von da an nimmt er etwas mehr als 14 Tage ab, bis mit dem nächsten **Neumond** ein neuer Mondzyklus beginnt. Der Neumond ist die perfekte Zeit, um neue Glaubenssätze anzulegen, Wünsche ins Universum zu schicken und neue Routinen einzuleiten. Was möchtest du zum Positiven verändern? Worauf möchtest du in der kommenden Zeit deinen Fokus lenken? In den kommenden zwei Wochen bis zum Vollmond dreht sich alles ums **Manifestieren**. Verbinde dich immer wieder mit deinen Träumen und Zielen. Visualisiere vor deinem inneren Auge, wie dein Leben aussieht, wenn du all das in dein Leben gezogen hast, was du dir wünschst. Spüre in dieses wahnsinnig schöne Gefühl hinein.

Beim **Vollmond** heißt es dann ***time to shine!*** Wenn du fest an dich geglaubt hast und danach gehandelt hast, hast du dein **Ziel** erreicht oder kannst du nun zumindest erste Erfolge wahrnehmen, möglicherweise auch einfach ein Zeichen dafür, dass du auf dem richtigen Weg bist. Du solltest dich beim Vollmond voll und ganz fühlen, im Einklang mit dir selbst und eine tiefe Dankbarkeit verspüren. Der Vollmond ist darum perfekt geeignet für ein **Dankbarkeitsritual**. Und selbst, wenn du bei dir ein Gefühl der Unzufriedenheit verspürst, weil die Dinge nicht ganz so gelaufen sind, wie du es dir vorgestellt hattest, – finde etwas, wofür du dankbar bist. Feiere dich dafür, dass du eine Neumondintention gesetzt hast und dass du den ersten Schritt gemacht hast!

Nach dem Vollmond geht der Mond in die abnehmende Phase. Die letzten 2 Wochen waren energiegeladen und du hast viel im Inneren wie Äußeren erschaffen. Nun geht es in den kommenden zwei Wochen darum, die Dinge etwas ruhiger angehen zu lassen.

19 Die Sonne

Jetzt ist die Zeit für:
Spiel und Spaß, dein Inneres Kind rauslassen, dein Strahlen in die Welt bringen, die Sonnenseiten des Lebens genießen, Erfolge feiern

Wow. Meine absolute Lieblingskarte im Tarot! *Die Sonne* steht für Lebendigkeit, Wärme und pure Lebensfreude. Ich liebe es, wie das kleine, fröhliche Kind völlig frei und unbeschwert auf dem Pferd reitet, um Spaß zu haben und mit seinem Lachen die Welt zu erobern. *Die Sonne* strahlt dabei über ihm und leuchtet ihm den Weg. Die Sonnenblumen, die das Kind früher gesät hat, schenken ihm Vertrauen, dass es noch so viel mehr gibt, was es entdecken und erschaffen kann.

Die Sonne ist da, um Freude und Glück in dein Leben zu bringen. Und zwar so viel, dass du mit deiner positiven Energie dein ganzes Umfeld anstrahlst. Es ist Zeit, die Dinge zu tun, die dir richtig viel Spaß machen und dein Herz zum Strahlen bringen. *Die Sonne* möchte dich außerdem daran erinnern, dich mit deinem Inneren Kind zu verbinden. Erinnerst du dich? Du bist dieses kleine, freie Kind, welches freihändig voller Mut auf dem Pferd reitet.

Was hast du gern gemacht, als du ein Kind warst? Womit hast du gespielt? Hast du gerne gesungen, getanzt oder den ganzen Tag draußen gespielt? In welchen Momenten hast du dich frei und stark und mutig gefühlt? In welchen Momenten warm, geborgen und geschützt? Was ist deine schönste Erinnerung an deine Kindheit?

Die Sonne ist die Karte, die dich dazu aufruft, all diese Erinnerungen wieder leben zu lassen. Tu die Dinge aus deiner

Kindheit, an die du gute Erinnerungen hast. Spiele, träume, lache, iss Süßigkeiten und geh nach draußen, um die warmen Sonnenstrahlen auf deiner Haut zu spüren.
Dir stehen sonnige Zeiten bevor. Glaub an dich und trag deine Strahlen, deine Vision hinaus in die Welt. Feiere die Erfolge, die du bisher erreicht hast, und schöpfe daraus Vertrauen, dass du alles erreichen kannst, was du in deinem tiefsten Herzen willst.

Die Sonne – umgekehrt

Die Bedeutung der Karte ändert sich nicht wesentlich. Vielleicht ist es im Moment aber noch etwas schwierig für dich, die Sonnenenergie voll zu spüren. Möglicherweise liegt das daran, dass die Verbindung zwischen dir und deinem Inneren Kind noch getrennt ist. Mit dem Kind, das immer noch in dir ist. Vielleicht will dieses Kind auch noch geheilt werden. Dafür musst du es allerdings erst wieder zum Vorschein bringen.

Wie du dich mit Sonnen-Energie auflädst und das Glück anziehst

1. Die wohl einfachste Methode, um mehr Sonne in dein Leben zu holen, ist es, die **Sonnenstrahlen** auf deiner Haut zu spüren. Geh raus, setz oder leg dich an einen sonnigen Ort und schließe die Augen. Spüre, wie die Wärme der Sonnenstrahlen jetzt in deinen Körper eindringt und alle Verkrampfungen löst. Falls du dich gerade an irgendeinem Ort in irgendeiner Zeit befindest, wo sich die Sonne absolut nicht blicken lässt, suche dir die wärmende Energie eines Feuers oder an einem anderen warmen Ort, zum Beispiel in der Sauna.

2. Vielleicht fällt es dir noch schwer, dich für deine Erfolge anzuerkennen. Gewöhne dir an, täglich mindestens ein

Erfolgserlebnis aufzuschreiben und dich dafür mit einem breiten **Lächeln** zu feiern.

3. Wenn die Verbindung zwischen dir und deinem **Inneren Kind** getrennt ist, hilft dir eine Meditation, um wieder in Kontakt zu kommen. Mach es dir dazu an einem warmen Ort gemütlich, kuschel dich, wenn du magst, in eine Decke oder setz dich in die Sonne. Schließe nun deine Augen und lass deinen Atem ganz natürlich fließen. Geh in deiner Vorstellung zurück an den Ort, an dem du als Kind gewohnt hast. Erinnere dich an dein Zimmer oder einen anderen Ort, an dem du gespielt hast. Welche Situation ploppt vor deinem inneren Auge auf? Sieh deinem Inneren Kind einmal ins Gesicht. Sieht es traurig oder glücklich aus? Beleidigt, wütend oder verängstigt? Begrüße dein Inneres Kind und schau, wie es reagiert. Sei dir darüber im Klaren, dass es abweisend reagieren kann, weil du dich so lange nicht hast blicken lassen. Bleib einfach ein bisschen da und frage es, warum es traurig oder verärgert ist. Sag ihm, dass du verstehen kannst, wie es sich fühlt. Frag es: „Was brauchst du jetzt?", und: „Was wünschst du dir von mir?" Versuche, dich von nun an regelmäßig mit deinem Inneren Kind zu verbinden.

4. **Sonnenblumen** sind der Ausdruck der Sonnenenergie und der Ausdruck deiner Erfolge. Säe Sonnenblumensamen in Blumentöpfen, in deinem Garten oder in die freie Natur aus!

5. Auch der Kontakt mit **Kindern** kann dir helfen, mehr von dieser warmen, freudigen und leichten Energie der Sonne in dein Leben zu bringen. Wir können von Kindern so viel lernen.

20 Gericht

Jetzt ist die Zeit für:
Selbstreflexion,
bei dir bleiben,
bewusst wahrnehmen statt urteilen,
Eigenverantwortung, aus Fehlern lernen

Diese Karte wirkt auf den ersten Blick furchteinflößend. Sie bildet die biblische Szene des Jüngsten Gerichts ab, in der über den Zugang zum himmlischen Paradies oder aber dem Schmoren in der Hölle geurteilt wird. Klingt nach Verurteilung. Der Pay Day, an dem abgerechnet wird, im Sinne von: Du warst ein guter Mensch und du ein schlechter. Um die Karte wirklich zu verstehen, müssen wir uns einmal die Details anschauen. Der Engel schaut recht freundlich. Auf jeden Fall nicht böse oder erzürnt. Er spielt auf einer Trompete und die farblosen Geschöpfe stehen zu seiner Musik aus ihren Särgen auf. Völlig nackt – also ohne jegliche Maske – grüßen sie den Engel und empfangen ihn mit offenen Armen. Klingt also nicht mehr so schrecklich, oder?

Worum es bei dieser Karte geht, ist die ehrliche Auseinandersetzung mit dir selbst. Lebst du momentan das Leben, das du dir vorstellst? Falls nein, woran liegt das? Handelst du nach deinen eigenen Wertvorstellungen? In welchen Situationen hast du dich dir selbst oder Anderen gegenüber nicht so verhalten, wie du es dir gewünscht oder vorgenommen hattest? Wer in deinem Leben hat eine Entschuldigung oder mehr Aufmerksamkeit verdient? Wem gegenüber verhältst du dich nicht ganz aufrichtig oder mit wem gehst du zu hart ins Gericht?

Gut möglich, dass dir diese Fragen unangenehm sind. Mit dieser Karte hast du nun die Chance auf eine Veränderung zu deinen Gunsten. Diese Karte kann das Tor zu einem Neuanfang sein, zu einem Eintritt in das Leben, das du wirklich leben willst. Eine Art Wiedergeburt, indem du aus alten Fehlern gelernt hast und die Dinge nun besser machen kannst. Voraussetzung für die Eintrittskarte in diese schöne neue Welt (die Karte *die Welt* folgt auf das *Gericht*) ist jedoch rigorose Selbstreflexion.

Ich habe lange Zeit Andere dafür verantwortlich gemacht, wenn ich mich schlecht fühlte. Erst in der Arbeit mit meiner Psychologin kam ich zu der Einsicht, dass ich sehr wohl einen großen Einfluss auf zum Beispiel dramatische Situationen in meinen Beziehungen hatte und dass weder mein Ex-Partner vollständig noch meine Eltern dafür verantwortlich waren. Anstatt mir Mitleid zu schenken und mich in meiner Opferrolle zu bestärken, konfrontierte sie mich freundlich, aber bestimmt mit meinem eigenen Anteil.

Es lohnt sich also, ganz genau hinzuschauen. Anstatt mit dem Finger auf Andere zu weisen, erst einmal neugierig und offen in dir selbst nach Antworten zu suchen. Das *Gericht* ist damit auch eine Karte, die dir die Botschaft überbringt, dass Verurteilung dir nicht mehr dient. Weder die Verurteilung deiner selbst noch von Anderen. Erkenne an, dass du, was geschehen ist, nicht rückgängig machen kannst, und freue dich darüber, was du daraus lernen durftest. Konzentriere dich nicht auf Verurteilung, sondern auf Verantwortung.

Das Gericht – umgekehrt

Auf dem Kopf liegend ist das *Gericht* ein starker Hinweis darauf, dass du entgegengesetzt deiner eigenen Wahrheit und zu deinen wahren Werten lebst. Du probierst jemand zu sein, der du nicht bist. Vielleicht möchtest du, dass nach außen hin alles perfekt wirkt: deine Partnerschaft, dein Job, dein Haus … Aber wirklich glücklich macht es dich nicht. Gut möglich ist auch, dass du dich sehr verurteilend verhältst, dir selbst oder Anderen gegenüber.

Wie du die Energie des Gerichts für persönliche Weiterentwicklung nutzt

Du kannst dir das ein bisschen so vorstellen wie eine **Inventur** zum Jahreswechsel. Wenn du auf das letzte Jahr zurückblickst, womit bist du dann zufrieden? Was lief gut? Was hast du selbst zu diesen schönen Dingen und Erfolgen beigetragen?

Nachdem du mit Sicherheit ein paar oder sogar einige schöne Erlebnisse hast vorbeiziehen lassen, wenden wir uns nun der anderen Seite zu. Was lief weniger gut? Mit welchen Ereignissen bist du unzufrieden? Welche Gefühle lösen die Gedanken an diese Ereignisse in dir aus? Ist es Wut, Traurigkeit, Scham oder vielleicht Neid? Wer oder was hat dich verletzt? Geh einmal in diese Situation hinein. Welche Gedanken über ich selbst hast du aus dieser Situation geschlussfolgert?

Genau hier liegt deine eigene Power verborgen. Du kannst Einfluss nehmen auf diese unschönen Situationen und Gefühle, die du damit verbindest. Und zwar, indem du die bewusste Entscheidung triffst, diese Gefühle und Gedanken loszulassen. Das *Gericht* ist der Aufruf an dich, vielleicht auch bei jemandem Entschuldigung zu sagen. Ob in einem Brief, telefonisch oder persönlich – wähle die Form, um deine ehrliche Entschuldigung bestmöglich rüberzubringen. Falls dir bei deiner inneren Inventur auffällt, dass du selbst doch die Person bist, die du mit schöner Regelmäßigkeit schlecht behandelst, ist es niemals zu spät für eine Entschuldigung an dich selbst.

21 Die Welt

Jetzt ist die Zeit für:
Reisen, vollkommen du selbst sein, mit Stolz auf deine Heldenreise zurückblicken, dein Geschenk an die Welt hinausbringen, positive Glaubenssätze

Die Welt steht zeitgleich für das Reisen und das Ankommen in deinem Zuhause. Sie markiert das Ende der Großen Arkana, in der du dich auf eine Reise zu dir selbst mit allen Höhen und Tiefen gemacht hast. Erinnerst du dich noch an den *Magier*, die Karte mit der Nummer 1? Bei dieser Karte ging es um das Erschaffen von neuen, positiven Glaubenssätzen. Mit der *Welt* hast du diese Glaubenssätze erfolgreich manifestiert und dir so deine eigene, wundervolle Welt erschaffen. Wie fühlt es sich an, das Leben zu leben, von dem du geträumt hast? Spürst du die Freiheit, die du durch das Loslassen von altem Ballast, von allem, was dir nicht mehr dient, erlangt hast?
In deiner Welt bist du völlig Du selbst, in deiner ganzen Schönheit und Reinheit. Du bist vollkommen, so wie du bist. Und du hast schützende Helfer an deiner Seite. Schau dir einmal die Karte an. Die Schönheit dieser Karte hat mich immer schon fasziniert. Dieser unendliche blaue Himmel, in welchem die nackte Frau schwebt und sich bewegt. Obwohl sie keinen Boden unter den Füßen hat, wirkt sie ausgeglichen und kraftvoll, ruhig und glücklich. Der grüne Lorbeer-Kranz, der sie umgibt, symbolisiert die Unendlichkeit ihrer spirituellen, reinen Seele. Was siehst du in den vier Ecken der Karte? Einen Menschen, einen Adler, einen Stier und einen Löwen, die für die vier Elemente stehen. Das sind deine persönlichen Helfer. Wer oder was das genau ist, bestimmst nur du. Stehen diese Symbole für wichtige Menschen

in deinem Leben? Oder für deine vier wichtigsten Werte, aus denen heraus du deine Welt ausrichtest?
Wenn du die Welt gezogen hast, bedeutet das, dass du auf dem richtigen Weg bist. Du hast schon eine Menge unternommen und gelernt und kannst nun die Früchte deiner Ernte genießen. *Die Welt* möchte dich nochmal darauf hinweisen, dass deine äußere Welt immer ein Spiegel deiner inneren Welt ist. Das bedeutet, dass, wenn du mit dir selbst im Reinen bist und dich traust, groß zu träumen und an deine Träume zu glauben, du auch im Außen Glück findest. Im Umkehrschluss heißt es, dass, wenn du mit dir im Inneren unzufrieden bist, du auch Negativität im Außen anziehst. Du allein kannst dies verändern, indem du dir deiner Kraft bewusst bist. Alles, was du in die Welt aussendest, kommt zu dir zurück.
Die Welt befasst sich außerdem mit dem, was du an die Welt zurückgibst, sozusagen dein Geschenk an die Welt. Was tust du leidenschaftlich gern? Wie können andere Menschen, Tiere oder die Umwelt von deiner Gabe profitieren?
Die Welt ist darüber hinaus die große Reisekarte. Wie bereits beschrieben geht es um die Reise zu dir selbst. Durch Reisen, ob es nun große oder kleine Reisen sind, verlässt du immer deine alltägliche Umgebung und lässt dich auf ein Abenteuer ein, in welchem du deinen Horizont (den unendlichen blauen Himmel) erweiterst. Über all dies hinaus symbolisiert diese Karte auch unsere Welt. Den Planeten Erde, auf dem wir leben. Ich glaube, es war niemals so wichtig und dringlich wie jetzt, unseren Umgang mit der Erde zu überdenken.

Die Welt – umgekehrt

Deine Welt steht gerade buchstäblich auf dem Kopf. Du weißt nicht, wie dir geschieht. Entweder bist du heftig verliebt und deswegen total aus dem Konzept oder du befindest dich in einem wahnsinnigen (Gefühls-)Chaos. Vielleicht hat sich dein

Leben komplett verändert, es ist alles anders gekommen als eigentlich geplant. Es ist wie der Austritt aus deiner alten Welt, in dein eigenes neues Zeitalter. Du wirst mehr zu deinem wirklichen, wahren Du.

Wie du deine eigene Welt authentisch und großartig lebst

1. Was möchtest du, was sich in der **Welt** ändert? Was lebst du davon selbst schon? Wie kannst du mit deinem eigenen Verhalten ein Vorbild sein für Andere, sie inspirieren und motivieren, es dir gleich zu tun? Mach dir dafür klar, dass Verhaltensänderung ein Prozess ist und nicht innerhalb von einem Tag passiert.

2. Bringe mit deinem Licht die Welt zum **Strahlen**. Was ist das, was du geben kannst, um diese Welt zu einem helleren Ort zu machen? Welche deiner Begabungen sind ein Beitrag, eine Bereicherung für dein Umfeld, andere Menschen oder Tiere? Du trägst dein besonderes Talent in dir und hast vielleicht vergessen, wie wertvoll es ist. Vielleicht erkennst du deine Begabung nicht, weil sie für dich so selbstverständlich ist.

3. Geh in der nächsten **Vollmondnacht** nach draußen, auf den Balkon oder ans Fenster – wichtig ist, dass du das Mondlicht sehen kannst. Nimm einen Bergkristall in deine Hände und richte ihn zum Mond aus. Stelle nun diese Frage an das Universum: Was ist meine besondere Gabe, die mir geschenkt wurde? Was ist mit dieser Gabe mein Auftrag auf dieser Welt? In den nächsten 29,5 Tagen bis zum nächsten Vollmond wirst du Hinweise und Botschaften empfangen.

Die Kleine Arkana

Die **KLEINE ARKANA** beschreibt im Gegensatz zur Großen Arkana alltägliche Herausforderungen. Kein Grund, diese Karten zu vernachlässigen, denn sie enthalten unendlich viele Anregungen für mehr Achtsamkeit in deinem täglichen Leben.
Die 56 Karten der Kleinen Arkana werden vier verschiedenen Symbolen bzw. Reihen zugeordnet: den Stäben, den Kelchen, den Münzen und den Schwertern. Jede der vier Reihen hat 10 Zahlenkarten (ASS – 10) und vier Hofkarten (Page, Ritter, Königin, König). Alle vier Symbole stehen für ein Element: Feuer, Wasser, Erde und Luft.

DIE STÄBE stehen für das Element **FEUER**. Hier geht es um Leidenschaft, Lebensfreude, Kraft, Abenteuer, Inspiration und Schöpferkraft. Sie sind das Element des mutigen Losgehens und dem Folgen deiner Intuition. Das Feuer verströmt eine schnelle, aktive Energie.

DIE KELCHE stehen für das Element **WASSER**. Hier dreht sich alles um Gefühle, die tiefe Verbindung zu dir selbst und zu anderen Menschen sowie zu allen Lebewesen. In diesen Karten liegt eine romantische, musische und künstlerische Energie, die tiefsinnig und feinfühlig ist.

DIE MÜNZEN werden dem Element **ERDE** zugeordnet. Hier geht es um das Praktische, um das Greifbare, um alles Materielle, um Finanzen, um Arbeit – aber auch die Verbindung zu deinem Körper und zur Natur. Sie symbolisieren Bodenständigkeit und Erdung. Bei diesen Karten geht es um langfristiges Planen, Ziele in der Zukunft und Sicherheit sowie kontrolliertes Wachstum. Die Erdenergie ist langsam und beständig.

DIE SCHWERTER werden dem Element **LUFT** zugeordnet. Luft ist das Element der Kommunikation, des Denkens und des Intellekts. Hier geht es also um deine gedankliche Welt sowie den Austausch mit anderen Menschen, ob in der direkten Verbindung oder über moderne Medien. Dieser Austausch kann nicht nur harmonisch verlaufen, sondern bringt manchmal auch Konflikte mit sich. Die Schwerterenergie ist klar, direkt und ehrlich.

Struktur der Zahlenkarten und Hofkarten

DIE ASSE sind die ersten Karten der Kleinen Arkana. Sie stehen für einen (Neu-)**Beginn** und für magische **Chancen**, die sich dir bieten.

DIE ZWEIEN sind die Karten der **Verbindung** und der **Balance**.

DIE DREIEN sind die Karten der **Reisen**. Reisen bedeutet immer auch Weiterentwicklung, die Erweiterung des eigenen **Horizonts** und glückliche Begegnungen mit anderen Menschen.

DIE VIEREN haben als gemeinsames Thema **Stillstand**. Es ist Zeit für eine **Pause** oder bewussten Moment der Freude.

DIE FÜNFEN stehen für neue **Bewegung**. Sie fordern dich dazu auf, eine **Entscheidung** zu treffen: Willst du, dass alles bleibt, wie es ist, oder bist du bereit, deine Sichtweise zu verändern und dein Mindset zu shiften?

DIE SECHSEN Alles beginnt bei dir, hier und heute. Die Sechsen sind Karten des **Augenblicks** – allerdings mit einer **Verbindung** in die Vergangenheit und/ oder in die Zukunft.

DIE SIEBENEN Wenn du eine Sieben erreicht hast, hast du bereits mehr als die Hälfte deines Weges geschafft. An diesem Punkt kommt es häufig zu **Konflikten**, zu Reibereien, zu neuen, unerwarteten **Herausforderungen**, die anfangs unüberwindlich scheinen können, sowie zu Zweifeln.

DIE ACHTEN sind die Karten der unendlichen **Ausdauer** und des **Self-Empowerments**. Sie sind die Erkenntnis, dass du, wenn

du deine Wünsche manifestieren willst, nach dem magischen Anfangszauber am Ball bleiben musst.

DIE NEUNEN sind die Karten des **Selbstbewusstseins**, der Bewusstwerdung sowie der **Dankbarkeit**.

DIE ZEHNEN markieren das Ende eines Zyklus und stehen somit für die **Vollendung**. Das kann einerseits das Erreichen deiner Ziele und Träume sein, andererseits aber auch einen definitiven **Schlussstrich** unter Vergangenes, um einen Neubeginn zulassen zu können.

DIE PAGEN sind die jüngsten Hofkarten im Tarot. Sie stehen für einen **Anfang**, für Unerfahrenheit, Neugierde und **Lernbereitschaft**. Ihre Unerfahrenheit ist ganz sicher nichts Schlechtes – ganz im Gegenteil, es verleiht ihnen eine unvoreingenommene, offene Haltung und Leichtigkeit.

DIE RITTER symbolisieren **Mut** und **Handlungsfreude**. Sie verfolgen ein klares Ziel und reiten dafür los. Das ist wundervoll und oft genau die Energie, um das zu erreichen, was du dir wünschst – vergiss jedoch nicht, ab und zu innezuhalten und zu überprüfen, ob du noch auf dem richtigen Weg bist. Denn die Lernaufgabe der Ritter ist es, die richtige Balance zu finden.

DIE KÖNIGINNEN verkörpern die weibliche Kraft: das **Urvertrauen**, die **Intuition**, die Verbindung und die Hingabe.

DIE KÖNIGE sind weise und reich an **Erfahrung**. Wenn ich die Könige mit nur einem Wort beschreiben müsste, dann wäre es **„Verantwortung“**.

Ass der Schwerter

Jetzt ist die Zeit für:
Ehrlichkeit, deine Wahrheit erkennen und aussprechen, Grenzen setzen, deine Bedürfnisse zu deiner Priorität machen, klärende Gespräche

Manchmal fühlt es sich an, als ob du nicht klar denken könntest. Als ob dicke, trübe Wolken die Sicht auf die Sonne verschleierten. Als ob du unzufrieden wärst, ohne genau zu wissen, warum. Das *Ass der Schwerter* kommt nun zu dir, um den Himmel wieder klar werden zu lassen, um dir Einsicht in die Ursachen deiner Unzufriedenheit und dir neuen Durchblick zu schenken.
Diese Karte ist außerdem die Botschafterin für das Setzen von gesunden Grenzen. Das fällt vielen von uns schwer. Menschen möchten gern angenommen werden, sich akzeptiert und geliebt fühlen. Wir haben Angst, dass dem nicht so sein könnte, wenn wir Nein sagen oder einer anderen Person mitteilen, dass sie etwas tut, was uns verletzt. Ich kenne das nur zu gut.
Versetz dich jedoch einmal in dein Gegenüber. Wahrscheinlich hat die Person keinen blassen Schimmer, was in dir vorgeht, und weiß gar nicht, was sie falsch macht.

Das Ass der Schwerter – umgekehrt

Auf dem Kopf liegend steht diese Karte für Unfälle und Patzer sowie für ausfallendes, wütendes Verhalten. Was davon dir auch widerfährt – es ist eine Folge davon, dass du deine eigenen Grenzen nicht ernst genommen und geschützt hast.

Wie die Energie des Asses der Schwerter dir hilft, Grenzen zu setzen

1. Bevor du **Grenzen** setzen kannst, musst du sie erst einmal klar erkennen (damit fängt das Problem häufig an). Gefühle wie Überrumpelung, genervt sein und sich unwohlfühlen sind hier wertvolle Ratgeber. Nimm sie ernst und frage sie, was sie dir sagen möchten. Dass alles zu viel ist, äußert sich manchmal auch in körperlichen Symptomen wie Kopfschmerzen, Bauchweh, Durchfall oder Übelkeit. Versuche einmal, drei Situationen, in denen du diese Gefühle und/oder körperliche Anzeichen wahrgenommen hast, so konkret wie möglich aufzuschreiben: Wo warst du? Wer war bei dir? Was ist in der Situation und kurz davor passiert? Wie hast du reagiert? Wie hast du dich dabei gefühlt? Was könntest du nächstes Mal anders machen, um deine Grenzen zu respektieren? Oft hilft es, früher aus der Situation herauszugehen oder klar und deutlich Nein zu sagen.
2. **Affirmationen** sind hilfreich, um dich zu unterstützen, eine liebevolle Haltung dir selbst gegenüber zu entwickeln, und dir Selbstvertrauen zu schenken. Affirmationen sind kurze positive Sätze, die du laut oder leise für dich selbst aussprichst. Am besten gelingt dies mit geschlossenen Augen, so dass du die Wirkung in dir spüren kannst. Sprich von nun an jeden Morgen die folgenden Affirmationen:
   a. *Ich bin wertvoll.*
   b. *Ich bin immer geliebt.*
   c. *Ich darf Nein sagen.*
   d. *Ich erkenne und schütze meine Grenzen.*
   e. *Ich spreche meine Wahrheit.*
   f. *Ich achte auf meine Bedürfnisse.*
   g. *Ich sage klar und deutlich, was ich will.*

Ass der Münzen

Jetzt ist die Zeit für:
Dein Urvertrauen stärken, weitsichtige Pläne schmieden, deine Wunschzukunft zu sehen, dein Zuhause zu deiner Wohlfühloase machen, dein Money Mindset entwickeln

Wundervoll. Dir wird eine große, goldene Münze gereicht, die dir hilft, eine rosige Zukunft aufzubauen. Dabei steht diese Münze nicht zwingendermaßen nur für Geld, sondern vielmehr für ein *Mindset*. Für eine neue Einsicht, die von Weitsicht geprägt ist. Du hältst von nun an alles in deinen Händen, um dein Leben nach deinen Wünschen zu gestalten. Du hast nun die Möglichkeit, deine Ziele in der ferneren Zukunft anzuvisieren und langfristig zu planen. Weil du ganz genau weißt, was du willst, ruhst du gelassen in dir selbst und verfolgst dein Ziel.
Als ich nach einer Trennung in meine eigene Wohnung zog, waren mir meine weitsichtigen Ziele noch verborgen. Es ging erst einmal darum, wieder Sicherheit und Routine zu erlangen. Auch wenn mein Budget begrenzt war, schaffte ich es dennoch, meine Wohnung schön und gemütlich einzurichten. Ich hielt Ausschau nach Second Hand Möbeln, die ich dann anstrich und aufhübschte. Während ich früher Probleme damit hatte, alleine zu sein, verliebte ich mich zunehmend in das Alleinsein in meiner eigenen Wohnung. Nach und nach entwickelte ich neues Vertrauen in mich und das Leben.

Das Ass der Münzen – umgekehrt

Wenn du diese Karte auf dem Kopf betrachtest, siehst du, dass die große goldene Münze aus der Hand fällt. Diese Karte verkehrtherum deutet auf Verlust von Geld, Materie, Stabilität, einem Wohnsitz oder einer Beziehung hin. Manchmal ist es so im Leben: Wir müssen Verlust und Schmerz ertragen, um daraus zu wachsen.

Wie das Ass der Münzen dir Vertrauen und Wohlstand schenkt

Mit der *Ass der Münzen*-Energie lädst du Wohlstand, körperliches Wohlbefinden und Liebe in dein Leben ein. Diese Dinge kommen und bleiben in deinem Leben, wenn du sie mit offenen Händen empfängst und vertraust, dass du sie verdient hast. Dabei hilft dir folgende **Meditation**: Nimm dir ein Symbol für Wohlstand in die Hand (wichtig ist, dass der Gegenstand in deine Hand passt). Das kann eine schöne Münze sein oder ein Edelstein (besonders geeignet sind der gelbgoldene Citrin oder der grüne Jadestein). Schließe nun die Augen und atme tief ein und aus. Spüre, wie die Energie der Münze oder des Steins in deinen Körper fließt. Lächele und fühle die tiefe Dankbarkeit für all das, was du schon hast: deinen wundervollen Körper, die Menschen in deinem Leben und die Zeit, die du dir selbst gerade schenkst. Stell dir nun vor deinem inneren Auge einen goldenen Weg vor, der durch eine Blumenwiese verläuft. Du kannst einen grünen Torbogen aus Blumenranken bereits erkennen und bewegst dich auf diesen zu. Neugierig und voller Vorfreude schaust du, was dich hinter diesem Torbogen erwartet: die allerbeste Version deiner Zukunft, die du dir vorstellen kannst. Was siehst du dort? Was hält deine Zukunft für dich bereit, worauf du dich heute schon freust? Sieh es dir an, fass es an, erlebe es. Komm dann langsam wieder zurück ins Hier und Jetzt. Öffne deine Hand und betrachte dein Symbol für Wohlstand. Schreib gern auf, was du in der Meditation gesehen hast und wie du dich dabei gefühlt hast.

Ass der Stäbe

Jetzt ist die Zeit für:
Dich von Leichtigkeit und Leidenschaft leiten lassen, Abenteuer erleben, Andere mit deiner Art verzaubern, mutig deinem Instinkt folgen, neue Menschen kennenlernen

Auch wenn du noch nicht weißt, wo dieses Abenteuer, diese Reise hingeht, ist diese Karte ein ganz klares JA dazu. Möglicherweise überkommt es dich einfach und du landest ganz selbstverständlich in einer Situation, die sich unglaublich gut und spannend anfühlt. Aus dem grauen Nichts reicht dir eine Hand den Zauberstab, der dein Feuer entfacht. Du bist Feuer und Flamme und reißt Andere mit. Gar nicht weit von dir entfernt siehst du schon ein prächtiges Schloss auf einem saftig grünen Hügel. Da ist es, dein Ziel! Gerade erst am Horizont aufgetaucht und schon in Reichweite.

Für mich hat das *Ass der Stäbe* eine ganz besondere Bedeutung. Es hat mir die Begegnung mit meinem heutigen Freund vorausgesagt. Es war einer dieser Samstagabende. Ich war allein in meiner Wohnung und wartete noch auf einen Freund, um gemeinsam was trinken zu gehen. Aus Langeweile und Neugier legte ich mir die Karten und zog das *Ass der Stäbe*. Ein feuriger, leidenschaftlicher Neubeginn, alles geht sehr schnell und hat dennoch ernsthaftes Zukunftspotenzial.

An diesem Abend, der übrigens das magische Datum 2.2.2020 trug, begegnete ich IHM dann tatsächlich. Er gefiel mir auf den ersten Blick und während wir miteinander sprachen, hatte ich das Reading im Hinterkopf. Wahrscheinlich war ich deswegen mutiger, voller Vertrauen. Dieses Gefühl von *alles ist genau richtig, es kann nichts passieren, denn er mag dich* trug mich

einfach. Ich glaube, dass ich dadurch weniger Angst vor Ablehnung hatte und mich traute, mehr ich selbst zu sein.
Das *Ass der Stäbe* steht für eine Idee, eine Erleuchtung. Eine Vision, die leidenschaftliche und kreative Energie mit sich bringt. Hierbei kann es auch um ein Hobby, Kunst, Sport oder ein berufliches Projekt gehen. Es ist diese eine Sache, von der du plötzlich ganz klar weißt: Genau das ist es, was ich will. Das ist die Energie, die dich ganz leicht und selbstverständlich trägt, wenn du deinem Herzen folgst, wenn du mutig bist und losgehst.

Das Ass der Stäbe – umgekehrt

Auf dem Kopf gezogen steht dieses Ass für eine schnelllebige Energie, ein Feuer, das schneller ausgebrannt ist, als es richtig angefangen hat zu brennen. Zurück bleibt nur kalte Asche, ein beklemmendes Gefühl der Enttäuschung.

Wie du die Leidenschaft des Asses der Stäbe lebst

Eigentlich musst du hier gar nicht viel tun, sondern dich einfach nur von dieser feurigen Energie mitreißen lassen. Wenn du diese Karte ziehst, denk nicht weiter drüber nach und vertraue einfach darauf, dass etwas Fantastisches passieren wird. Nimm Einladungen an, geh aus, wenn du magst, tanze und ***Let the magic happen!*** Sei du selbst, und genieße die Aufmerksamkeit.

Ass der Kelche

Jetzt ist die Zeit für:
Über deine Gefühle sprechen, innere Reinigungsrituale, dir selbst und Anderen verzeihen, Frieden in dir finden, Liebe im Überfluss

Eine Hand reicht dir einen großen, goldenen Kelch, der überströmt voll Liebe und Freude. Über dem Kelch schwebt eine weiße Taube als Symbol des Friedens. Das ist die Karte der Vergebung, des Friedens und der Liebe!

Mich erinnert diese Karte an die erste Auseinandersetzung mit meinem Freund. Wir waren zum ersten Mal zu Besuch bei seinen Freunden gewesen und er hatte mir an diesem Abend wenig Beachtung geschenkt, was mich sehr traurig machte. Als wir wieder zu Hause waren, sagte ich ihm, wie ich mich fühlte. Er sah direkt ein, wie sein Verhalten mich verletzt hatte, und entschuldigte sich aufrichtig. Wir redeten in dieser Nacht noch lange und sprachen das erste Mal aus, wie wir uns unsere gemeinsame Zukunft vorstellten. Ein paar Tage später dachte ich an die Situation bei seinen Freunden zurück und war wieder traurig. Ich zog das *Ass der Kelche*, welches mir sagte: Er hat sich entschuldigt. Verzeih ihm wahrhaftig, lass den Schmerz los und schließe Frieden. Sieh den wundervollen Neuanfang, der in dieser Situation liegt. Ihr seid euch dadurch nähergekommen und habt eure Beziehung aufs nächste Level gebracht. Ich war zutiefst berührt von dieser Legung.

Diese Karte möchte dir mitteilen, dass die Zeit der Vergebung und des Friedens gekommen ist. Vergebung macht dich frei und lässt dich zurückkehren in die Energie von Liebe, da du nicht länger in Groll, Trauer, Wut und Vorwürfen verweilst.

Das Ass der Kelche – umgekehrt

Auf dem Kopf liegend symbolisiert dieses Ass Drama. Lass dein verletztes Ego hinter dir und mach Platz für eine liebevolle Sicht auf dich selbst und Andere in deinem Leben.

Wie das Ass der Kelche dir hilft, wirklich zu vergeben

1. Pflücke ein paar frische **Brennnesseln** (trag am besten Handschuhe). Die Brennnesseln stehen symbolisch für deine Verletzung. Übergieße nun eine kleine Handvoll der Blätter mit kochendem Wasser und lass den Tee ein paar Minuten ziehen. Brennnesseltee wirkt entgiftend und reinigend und unterstützt dich so, die negative Energie aus deinem Körper zu transportieren. Während du den Tee in kleinen Schlucken trinkst, schreibe einen Brief an die Person, die dir Unrecht getan hat. Schreib ihr, warum dich ihr Verhalten verletzt hat. Schließe den Brief mit folgenden Worten ab: *Ich habe beschlossen, von nun an frei zu sein. Ich befreie mich von alten Verletzungen, damit ich mich auf Liebe, Frieden und Freude richten kann. Ich vergebe dir.* Verbrenne den fertigen Brief und verstreue die Asche beim nächsten Vollmond in einem fließenden Gewässer.

2. Wenn dich das Verhalten einer Person, die dir nahesteht, verletzt hat, suche das **Gespräch**. Kommuniziere mit Ich-Botschaften, wie du dich fühlst.

Zwei der Schwerter

Jetzt ist die Zeit für:
Meditation,
Achtsamkeit, Stille,
dich mit deinem Inneren verbinden,
äußere Reize reduzieren

Auf der Karte siehst du eine Frau mit verbundenen Augen, die vor der Brust ihre Arme kreuzt. In den Händen hält sie zwei Schwerter, die in den Himmel ragen. Im Hintergrund siehst du ein Gewässer und in der Dämmerung steht bereits der sichelförmige Mond am Himmel. Der Mond steht für deine Intuition und das, was du jetzt brauchst, um deine Sinneswelt zu ordnen. Die Augenbinde ist ein Hinweis darauf, dass es Zeit ist, den Blick nun nach innen statt nach außen zu wenden. So kannst du die wertvolle Verbindung zu deiner inneren Welt, deinen Gefühlen und deiner Intuition zurückerlangen. Mach dir bewusst, dass die Lösung deiner Probleme mit einem rein logischen Ansatz nicht möglich ist. Die wahren Lösungen sind bereits in dir – nur den Zugang musst du noch freischaufeln. Die *Zwei der Schwerter* bringt diese wundervolle Energie der Stille; andererseits sagt sie zur rechten Zeit zu dir: Nun öffne deine Augen wieder und bring das Licht deines wundervollen Wesens hinaus. Spätestens, wenn der Mond wieder voll und rund am Himmel erstrahlt, ist die Zeit dafür reif. Gestärkt, voller Selbstvertrauen und im Einklang mit dir selbst wirst du dann die Verbindung mit anderen Menschen genießen können.

Die Zwei der Schwerter – umgekehrt

Auf dem Kopf ist die Karte ein noch deutlicherer Hinweis darauf, dass du den Blick weg von der äußeren Welt hinein in deine innere Welt richten solltest. Vielleicht gelingt dir das nicht, weil du zu wenig allein bist oder das Gefühl hast, Anderen immer helfen zu müssen.

Wie du die Zwei der Schwerter-Energie für dich nutzt

1. Gönn dir einen Zeitraum von völliger Stille. Ein **Stilletag** wäre eine wirklich gute Maßnahme. Dieser wird in Achtsamkeitsseminaren angeboten. Dabei wechselst du zwischen verschiedenen Meditationen ab, redest mit niemandem und gehst in Ruhe durch die Natur spazieren, ohne jegliche Ablenkung von außen. Wenn du noch nie so etwas gemacht hast, mag das sehr befremdlich klingen. Aber es lohnt sich, das einmal auszuprobieren.

2. Eine andere Möglichkeit im Alltag ist, dir ab heute für mindestens eine Woche lang täglich **15 Minuten der Stille** zu schenken. In dieser Zeit ist dein Handy aus, ebenso sind Radio, Fernseher und PC ausgeschaltet. Zünde dir eine Kerze an. Kerzenlicht hat eine meditative und magische Wirkung. Setze dich bequem hin, vielleicht in einen Meditationssitz oder auf deine Fersen. Schaue nun einfach nur auf das Licht der Kerze. Wenn du magst, schließe sanft deine Augen. Nimm wahr, wie sich dein Brustkorb mit jeder Einatmung hebt und mit jeder Ausatmung wieder senkt. Entspanne deinen Kiefer, lass den Mund ganz locker und leicht geöffnet, die Zähne berühren sich nicht. Atme weiter tief ein und tief aus. Versuche diese Stille-Meditation mal eine Woche lang, einmal täglich und lass dich überraschen von dem, was tief in dir drin wahrgenommen und gefühlt werden will.

Zwei der Münzen

Jetzt ist die Zeit für:
Das Gute in beiden Seiten sehen, Flexibilität, Prioritäten setzen, Humor und Ruhe in unerwarteten Situationen bewahren, Kontrolle loslassen

Die *Zwei der Münzen* symbolisiert Flexibilität. Der junge Mann auf der Karte jongliert spielerisch mit zwei Münzen, die von der unendlichen Acht umschlossen sind. Hinter ihm schlägt das Wasser hohe Wellen, doch er bleibt gelassen und frohen Mutes. Was ist sein Geheimnis? Er ist völlig er selbst und bei sich, während er dies tut. Und er ist sich der Tatsache bewusst, dass das Leben ein Auf und Ab ist. Er hat akzeptiert, dass er nicht alles kontrollieren kann und sich manchmal einfach den Gegebenheiten anpassen muss.

Erkennst du dich vielleicht schon in diesem jungen Mann? Oder möchte er dir gerade aufzeigen, welche Haltung dir in deiner aktuellen Situation helfen könnte? Ich habe diese Karte gezogen, als ich sinnbildlich mehrere Bälle in der Luft hielt: meine Doktorarbeit, das Schreiben dieses Buches und die Renovierung unseres Hauses.

Die *Zwei der Münzen* bringt generell viele positive Ereignisse mit sich. Was die Karte dir gerne sagen möchte ist, dass du es schaffst, all das zu tun, was dir wichtig ist, und dabei einen kühlen Kopf bewahrst. Nimm eine spielerische Haltung ein und besinne dich auf deine Prioritäten.

Die Zwei der Münzen – umgekehrt

Umgekehrt steht diese Karte für Überforderung, die möglicherweise zu einer Kurzschlussreaktion geführt hat. Du hast den festen Halt am Boden verloren und deine Flexibilität überstrapaziert. Vielleicht hast du dich verzettelt, zu allen möglichen Aktivitäten und Projekten „Ja" gesagt und merkst nun, dass all das in deiner begrenzten Zeit gar nicht möglich ist.

Wie du die Zwei der Münzen-Energie sinnvoll in dein Leben integrierst

1. Setze **Prioritäten** in deinem vollen Terminkalender. Welche deiner Aktivitäten machen dir wirklich Spaß und schenken dir Energie? Falls Aufgaben dabei sind, die deinen Flow behindern, schau, ob du diese wirklich machen musst. Falls ja, bist wirklich du die Person, die sie erledigen muss? Vielleicht kannst du um Hilfe bitten oder delegieren. Und falls wirklich nur du diese Aufgabe erledigen kannst – wie dringend ist sie?
2. **Gute Organisation** hilft dir beim spielerischen Bewältigen deiner Aufgaben. Diese Methode kannst du sowohl auf Aufgaben im Berufs- sowie Privatleben anwenden: Gehe eine typische (Arbeits-)Woche durch und schreibe alle Aufgaben auf, die du in einer Woche normalerweise erledigst. Zum Beispiel Emails schreiben, Meetings, Telefonate, brainstormen, recherchieren, schreiben, konzentriertes Arbeiten an bestimmten Projekten ... Manche Aufgaben werden sich täglich wiederholen, andere machst du vielleicht nur einmal pro Woche. Es ist viel effizienter und einfacher für dich, wenn du gleiche Aufgaben bündelst und immer zu einem bestimmten Zeitpunkt am Tag oder an einem Tag in der Woche ausführst. Also zum Beispiel, dass du deine Emails an einem Zeitpunkt am Tag beantwortest, anstatt direkt auf jede neu eingehende Mail zu reagieren.

Zwei der Stäbe

Jetzt ist die Zeit für:
Die Fülle deiner Möglichkeiten erkennen, eine Herzensentscheidung treffen, den Ausbruch aus deiner Komfortzone wagen, deine Leidenschaft leben

The whole world lies in your hand, Baby! Diese Karte repräsentiert Zuversicht und den Blick auf all die Möglichkeiten, die sich dir öffnen. Die Person auf der Karte blickt nach vorn. Vor ihr liegt eine saftig grüne Landschaft mit Häusern, einem See und Bergen. Sie steht auf den Mauern der Stadt, die vor ihr liegt – oder auf ihrer eigenen Festung. Wie auch immer, sie ist sicher und geschützt und strahlt eine besonnene Ruhe aus. Obwohl sie die Welt in ihren Händen hält, bewegt sie sich nicht. Dabei symbolisieren ihr rotes Gewand und die beiden Stäbe das Feuer in ihr – ihre Leidenschaft, ihre Kraft und Abenteuerlust.

Diese Karte zeigt dir, wie vielfältig deine Perspektiven sind. Sie ruft dich auf zu erkennen, dass du dir selbst die bestmögliche Zukunft erschaffen kannst. Wenn du diese Karte ziehst, geht es darum, dir deiner Fülle an Möglichkeiten bewusst zu werden. Was könntest du alles tun? Welche Chancen tun sich momentan in deinem Leben auf?

Als Nächstes solltest du eine Entscheidung treffen – mit Ruhe, Intuition und Vertrauen. Auf welche der ganzen Optionen hast du so richtig, richtig Lust? Welche entfacht das Feuer in dir?

Am wichtigsten ist, *dass* du dich letztendlich entscheidest – und zwar gegen deine Komfortzone. Wenn du in der Komfortzone bleibst, verkümmert das Feuer in deiner Seele und du wirst zu einer kleineren Version von dir selbst. Da draußen warten zu viele Abenteuer und zu viel, was in die Welt gebracht werden will durch dich. Nimm dir die Ruhe und Zeit, die du brauchst - und dann geh los und pack es an!

Die Zwei der Stäbe – umgekehrt

Entweder bist du zu leidenschaftlich, was in blinde Aktionswut und Impulsivität ausartet. Dein unüberlegtes Vorgehen führt zum totalen Chaos. Oder aber du bist so bedacht und überlegt, dass du nicht ins Handeln kommst, sondern immer noch an deiner Entscheidung zweifelst.

Wie du mit der Zwei der Stäbe erkennst, was du wirklich willst

1. Nimm dir einen Moment für dich allein, um zu reflektieren. Was sind deine **Möglichkeiten**? Welche deiner Optionen begeistert dich (und nicht Andere, deren Meinung dir wichtig ist) wirklich? Wenn sich ein Gefühl der Angst einschleicht, nimm es wahr und lass es da sein. Du musst heute nicht wissen, wie du an dein Ziel kommst. Es zählt einzig und allein, dass du den Entschluss fasst, loszugehen.

2. Verlasse mal wieder deine vier Wände und unternimm eine **Reise** allein (die kann so klein oder groß sein, wie du magst). Vielleicht träumst du schon lange von einem Backpacking-Trip durch Thailand, aber hast dich bisher nicht so recht getraut, diesen allein anzugehen. Vielleicht brauchst du gerade aber auch einfach mal einen Tagestrip in die Natur oder eine andere Stadt, um dich aus den Fesseln der Routine und deiner Komfortzone zu lösen.

Zwei der Kelche

Jetzt ist die Zeit für:
Deine Angst vor Verletzung loslassen, an das Wunder der Liebe glauben, eine gleichberechtigte Beziehung leben, deine Wunschbeziehung manifestieren

Hier geht es um Gleichberechtigung, gegenseitige Anerkennung und den respektvollen Umgang miteinander. Die tiefste und reinste Form der Liebe, in der es um das Geben anstatt um das Nehmen geht. Die beiden Menschen auf der Karte sind einander zugewandt und schenken sich gegenseitig ihre volle Aufmerksamkeit. Sie achten und erkennen einander. Sowohl der Mann als auch die Frau tragen ein festliches Gewand und ihre Köpfe sind mit Kränzen geschmückt. Ihre Liebe und die gemeinsame Zeit feiern sie, weil sie etwas Besonderes sind. Sie offenbaren und schenken dem Anderen ihren Kelch – ihre Gefühle. Ihre tiefe Verbundenheit wird von dem Löwenengel bewacht und besiegelt: Er schenkt dem Paar Kraft, Mut, Schutz und Großzügigkeit. In dieser Karte liegt das Geheimnis der Liebe und generell jeder guten Beziehung verborgen. Es geht darum, dem Anderen tiefe, unerschütterliche Wertschätzung entgegenzubringen. Dann gehst du davon aus, dass alles, was er oder sie tut, mit den besten Absichten passiert, und bist in der Lage, Fehler zu verzeihen. Höre, was die Personen sagen: ★ Ich höre dir zu. ★ Du faszinierst mich, immer wieder aufs Neue. ★ Ich respektiere dich. ★ Ich fühle mich zutiefst mit dir verbunden. ★ Ich schenke dir gerne meine Aufmerksamkeit. ★. Ich vertraue dir.

Die Zwei der Kelche – umgekehrt

Umgekehrt gezogen symbolisiert diese Karte ein Ungleichgewicht in deiner Beziehung. Es kann sich hierbei um deine jetzige

Partnerschaft handeln, ferner auch um freundschaftliche, familiäre oder kollegiale Beziehungen. Ebenso ist es möglich, dass diese Karte eine alte Verletzung aus einer früheren Beziehung andeutet, die dich jedoch in irgendeiner Form auch heute noch beeinflusst.

Wie du mit der Zwei der Kelche eine erfüllte Beziehung manifestierst

1. Wenn du Single bist, fertige eine Liste an mit den Eigenschaften, die dein*e **Traumpartner*in** haben sollte. Schreibe lediglich Charaktermerkmale auf (z.B. tierlieb, naturverbunden, witzig, höflich ...) und bitte KEINE Äußerlichkeiten, Umstände oder materiellen Besitztümer. Schau dir dann die Eigenschaften noch einmal an. Warum sind dir diese Eigenschaften bei einer*m Partner*in wichtig? Falls du sehr viele Eigenschaften aufgeschrieben hast, finde heraus, welche dir am wichtigsten sind. Nimm dir nun ein Papier und schreibe: ***Ich habe es verdient, meinen Traumpartner zu finden. Ich bin in einer glücklichen, erfüllten Beziehung.*** (Formuliere den Wunsch so, als sei er bereits in Erfüllung gegangen). Übergib nun deinen Wunsch dem Universum, indem du ihn verbrennst. Sei in den nächsten Monaten offen für Menschen, die rein äußerlich oder statustechnisch nicht deinen Vorstellungen entsprechen, und vertraue auf die magische Unterstützung des Universums.
2. Wenn du in einer Beziehung bist, verinnerliche das Bild der *Zwei der Kelche* und was die beiden Menschen einander sagen, wie sie miteinander umgehen. Wann handelst du in eurem Beziehungsalltag anders? Wann probierst du, deine*n Partner*in zu ändern? Wann schenkst du ihm oder ihr wenig Aufmerksamkeit oder **Wertschätzung**? Wieviel *Quality Time* verbringt ihr miteinander?

Drei der Schwerter

Jetzt ist die Zeit für:
Tiefes Mitgefühl für dich selbst, an schmerzvollen Erfahrungen wachsen, neues Vertrauen fassen, dein Herz heilen, schöne neue Erfahrungen zulassen

Unschwer zu erkennen ist die *Drei der Schwerter* die Herzschmerzkarte. Ein großes, starkes, rotes Herz wird von drei eisernen Schwertern durchbohrt. Bevor du jetzt das Buch zuschlägst und nicht mehr weiterlesen magst, möchte ich dich erst einmal beruhigen: Diese Karte steht nicht zwingend für Erfahrungen, die dir nun bevorstehen. In meinen Readings interpretiere ich sie auch häufig als Schmerz, durch den ich bereits gegangen bin. Die Karte ist dann ein Hinweis darauf, dass dieser Vergangenheitsschmerz in deiner aktuellen Situation wieder getriggert wird. Wo besteht hier die Verbindung zu deiner Erfahrung aus der Vergangenheit? Wenn du die Parallele von damals zu heute gefunden hast, führe dir vor Augen, dass du frei wählen kannst. Du bist an deiner Erfahrung, deinem Schmerz gewachsen und weißt, was du heute anders machen kannst. Du kannst dich entscheiden, den Schmerz in Heilung zu verwandeln.

Die Schwerter stehen für Kommunikation und Worte. Das Bild der Karte macht deutlich, wie tief und nachhaltig Worte verletzen können. Diese Karte kann damit auch für einen Streit mit deiner*m Partner*in oder einem anderen Lieblingsmenschen stehen sowie für eine Trennung mit Liebeskummer, den du gerade durchmachst. Manchmal steht sie auch einfach für einen Schmerz in diesem Moment, den du in deinem Herzen fühlst, weil du gerade (noch) nicht so handeln kannst, wie du es dir eigentlich wünschst.

Die Drei der Schwerter – umgekehrt

Lass los. Du hast dich nun lang genug mit deinem Schmerz befasst, ihn ausgehalten und durchlebt. Die Zeit ist reif für dich, dich wieder den schönen und freudigen Seiten des Lebens zuzuwenden.

Wie du die Drei der Schwerter-Energie gut durchstehst

1. Auf der Seelenebene sind **Thaimassagen** mein absoluter Geheimtipp. Eine verwöhnende Aromaöl-Thai-Massage unterstützt deine Seele bei der Heilung, indem sie die Energiezentren deines Körpers wieder harmonisiert. Dadurch kann deine positive Lebensenergie wieder ungehindert fließen, du kannst dir selbst besser vergeben und fühlst dich wieder mehr Zuhause in deinem Körper.

2. Alles, was dir nun hilft, dich schön, sexy, begehrenswert und selbstbewusst zu fühlen, ist genau richtig. Höre auf, die Tage in der Jogginghose vor dem Fernseher zu verbringen, sondern sorge mit einer Dusche, ein bisschen Make Up und hinreißender Kleidung dafür, dass du dir deiner eigenen weiblichen **Zauberkraft** (aufs Neue) bewusst wirst.

3. Ablenkung hilft dir nun neue, positive Erfahrungen zu machen und aus deiner Liebeskummerbubble auszubrechen. **Verabrede** dich regelmäßig mit den Menschen, die dir Raum geben, über deinen Schmerz zu sprechen, die jedoch auch irgendwann sagen: Genug gejammert, jetzt unternehmen wir was Cooles zusammen!

Drei der Münzen

Jetzt ist die Zeit für:
Teamwork, Hilfe annehmen, Anderen mit deiner Expertise helfen, dich für neue Ansichten öffnen, Weiterbildung

Vor den Toren einer ungewissen Zukunft siehst du drei Personen. Ein Team oder ein Paar hält gemeinsam einen Plan in den Händen und spricht mit einer dritten Person, die einen Gegenstand festhält und auf einer Bank steht. Sucht das Team Rat bei der Person auf der Bank? Oder wollen alle Personen im Team zusammenarbeiten, um ihre Pläne zu verwirklichen? In welcher der drei Personen erkennst du dich selbst wieder?
Du siehst also, dass du diese Karte unterschiedlich deuten kannst. Sie nimmt klassischerweise auf den beruflichen Kontext Bezug, kann aber ebenfalls für eine Liebesbeziehung oder eine enge freundschaftliche Verbindung stehen. Die Schlüsselbotschaft ist in allen Situationen dieselbe: Zusammenarbeit bringt dich weiter. Manche Probleme kann man nicht alleine lösen. Die Sichtweisen und Ideen von Anderen anzuhören, gemeinsam Pläne zu schmieden und diese dann in Teamwork umzusetzen, ist hier der absolut richtige Weg. Die erdige, bodenständige Energie betont die Langfristigkeit, Stabilität und Ausdauer. Es geht hier also gerade nicht um schnelle ad hoc Entscheidungen und Aktionen, sondern vielmehr um ein bedachtes, ausgeglichenes und weitsichtiges Vorgehen.
In Liebesdingen ruft dich diese Karte auf, aus eurer Zweierbubble auszubrechen und mal wieder den Austausch mit Freunden zu suchen. Bei größeren Beziehungsproblemen ist sie der Ratschlag, gemeinsam Hilfe zu suchen, zum Beispiel mit einer

Paartherapie. Generell kannst du die Karte so interpretieren, dass ihr den Rat und die Hilfe eines Experten oder eines Arztes annehmen solltet. Oder vielleicht bist du hier auch diejenige, die anderen Teams oder Paaren hilft – sei es als Therapeutin, Coach oder Consultant.

Die Drei der Münzen – umgekehrt

Hier findet keine Zusammenarbeit statt. Falls du lieber allein arbeitest und alles selbst machst, denke mal darüber nach, was Zusammenarbeit dir bringen könnte: Inspiration, Motivation, Unterstützung? Wenn du diejenige bist, die gern zusammenarbeiten möchte, jedoch an deinem Arbeitsplatz ein giftiges Klima mit Mobbing, viel Stress, viel Ego, starren Meinungen und Konkurrenz herrscht: Überlege dir ernsthaft, ob du dein wundervolles Wesen dort voll entfalten kannst und schaue dich nach einem Job mit einem liebevolleren Betriebsklima um.

Wie du die Win win win-Energie der Drei der Münzen nutzt

1. Male dir aus, wie es in deinem **Traumbusiness** (vielleicht deinem eigenen?) aussieht. Was ist die Vision des Unternehmens? Was ist die gemeinsame Mission deines Teams? Mit wem arbeitest du zusammen? Welche Aufgaben übernimmst du und welche gibst du ab?

2. In welchem Bereich möchtest du dich gern weiterentwickeln? Suche dir eine Mentorin, einen Coach oder nimm an einer **Weiterbildung** teil.

Drei der Stäbe

Jetzt ist die Zeit für:
Dich anerkennen für deinen Mut, Zweifel überwinden, weitermachen, festgefahrene Routinen durchbrechen, auf dem Pfad deiner Seele reisen

Yay, du bist losgegangen! Du hast den Schritt raus aus deiner Komfortzone gewagt und hast den Weg in deine Zukunft begonnen. Nach der ersten Euphorie ereilen dich nun Unsicherheit und Zweifel – war es wirklich richtig? Wahrscheinlich stehst du nun vor den ersten Hindernissen und Herausforderungen auf deinem Weg. Du realisierst, dass es noch einiges an Energie, Kraft und Zeit kosten wird, um dein Ziel zu erreichen.
Sehen wir uns die Karte einmal genauer an: Hier ist sie wieder, die Person im roten Gewand. Sie steht leicht erhöht auf einem Berg – das heißt, dass du erste Hindernisse bereits überwunden hast. Vor ihr liegt eine weitläufige Fläche. Diese ist karg, aber dennoch ist der Ton der Karte in einem hoffnungsvollen Gelb gehalten. Und auch, wenn der Weg noch weit ist: Er wird nicht mehr so beschwerlich sein und das Ziel ist schon in Sicht. Erkenne dich selbst an für die Entscheidungen, die du getroffen hast, und alles, was du schon geschafft hast. Jetzt ist Ausdauer und Standhaftigkeit gefragt – bleib dran, vertraue darauf, dass du das Richtige tust. Und glaub mir, die Zukunft wird rosig.

Die Drei der Stäbe – umgekehrt

Du fühlst dich, als würdest du feststecken. Du verspürst ein tiefes Gefühl von Unzufriedenheit bei all dem, was du tust und was dir passiert. Alles, was du dir überlegst oder ausprobierst, bringt dich nicht weiter. Bist du zu schnell und unbedacht in die falsche Richtung losgelaufen? Hast du irgendwo auf dem Weg die Verbindung zu dir selbst verloren?

Wie du mit der Drei der Stäbe die Motivation findest, weiterzureisen

1. Schau dir einmal deine bisherigen **Reisegewohnheiten** an und plane dann eine Reise, die einen Gegensatz zu deinen Gewohnheiten bildet. Du wirst sehen, dass das Ausbrechen aus deinem gewohnten Reisemuster dir viele neue Eindrücke verschafft und dir hilft, die Welt um dich herum und dich selbst besser zu verstehen.

2. Auch im Alltag kannst du das Experiment machen, aus festgefahrenen **Routinen auszubrechen**.
   Ein wenig Inspiration?
   Tag 1: Gehe oder fahre einen anderen Weg zur Arbeit.
   Tag 2: Stehe eine halbe Stunde früher auf, um einen bewussten Morgenspaziergang zu machen.
   Tag 3: Koche ein neues Gericht, aus einem Land, in das du gern reisen würdest.
   Tag 4: Vernetze dich mit jemandem, der dort steht, wo du gern hinwillst.
   Tag 5: Grüße jede Person, die dir begegnet, mit einem Lächeln und einem freundlichen „Hallo!"
   Tag 6: Bitte jemanden um Hilfe.
   Tag 7: *Time to reflect!* Was ist in der letzten Woche Überraschendes, Zauberhaftes passiert?

Drei der Kelche

Jetzt ist die Zeit für:
Lachen, Leichtigkeit,
Feiern mit deinen Lieblingsmenschen,
Tanzen,
Zusammensein bewusst erleben

Die *Drei der Kelche* steht für Wachstum durch Lebensfreude, Dankbarkeit und Verbundenheit. Wie keine andere Karte ist sie ein Aufruf zum Feiern, zum Ausgelassen-Sein, zum Tanzen. All dies solltest du mit deinen Liebsten tun. Ich zog diese Karte einmal, kurz bevor meine Schwester mich gemeinsam mit meinem Neffen besuchen kam. Wir hatten schon seit Längerem keine Zeit mehr miteinander verbracht. Ohne große Vorbereitungen und Pläne machten wir uns einen schönen Tag zu dritt. Wir spielten, redeten und bestellten Pizza. Nach dem Essen kam mein kleiner Neffe auf die Idee, uns an den Händen zu halten und uns im Kreis zu drehen. Ich musste richtig lachen, weil mich dieses Bild so an diese Karte erinnerte. So fühlt sich Glück an! Diese Karte bringt mit ihrer Wasserenergie schöne Gefühle ins Fließen, ein Überschäumen vor Glück, lachen, bis dir die Tränen kommen. Wann hast du das letzte Mal gelacht, bis du weinen musstest?

Die Drei der Kelche – umgekehrt

Umgekehrt ist diese Karte ein Hinweis darauf, dass du es übertreibst – wahrscheinlich mit dem Feiern. Andere mögliche Deutungen sind, dass du es mit sozialen Kontakten übertreibst (möglicherweise bist du ständig unter Leuten und falls du mal allein bist, auf Social Media unterwegs). Oder du jagst vergnügungssüchtig einem Erlebnis nach dem nächsten nach.

Wie du die Drei der Kelche-Energie fließen lässt

1. Verabrede dich mit deinen Liebsten und hab **Spaß**. An wen musstest du bei dieser Karte als Erstes denken? Mit wem kannst du richtig ausgelassen sein und dich gehen lassen? Beachte auch die Bewegungskomponente in dieser Karte. Häufig sitzen wir irgendwo rum, wenn wir uns treffen: trinken was, schauen einen Film... Sich gemeinsam zu bewegen, macht jedoch so viel glücklicher. Tanzen ist für mich das beste Beispiel. Welche Form der Bewegung erfüllt dich mit Glücksgefühlen?

2. Eine schöne Möglichkeit, dich gemeinsam mit deinen Liebsten zu bewegen, ist ein **Achtsamkeitsspaziergang**. Das funktioniert auch mit Kindern super. Dazu schließt einer von euch die Augen. Der andere bekommt die Aufgabe, die Person mit den geschlossenen Augen aufmerksam und vorsichtig zu führen und sie gezielt zu den schönen Dingen zu lenken, die euch auf dem Weg begegnen. In diesen Momenten gibt die führende Person der Person mit den geschlossenen Augen ein Zeichen, um die Augen zu öffnen. Auf diese Weise nehmt ihr die wundervollen Blumen, Bäume, Tiere, Bauwerke sowie Details, die ihr im Alltag häufig überseht, ganz bewusst wahr.

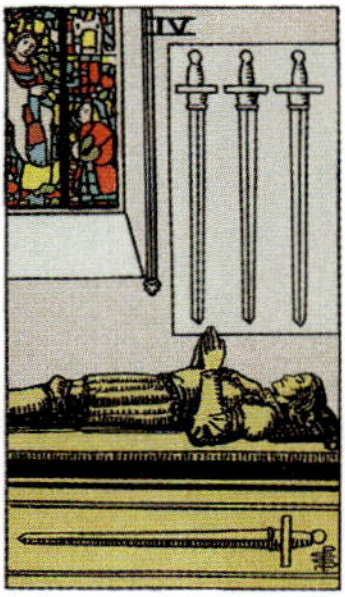

Vier der Schwerter

Jetzt ist die Zeit für:
Ruhe, Stille, Schlaf, deine Wunden heilen, ein liebevolles Update für dein Unterbewusstsein

Die *Vier der Schwerter* steht für die Ruhe nach einem schweren Kampf. Sie folgt auf die *Drei der Schwerter*, kommt also, nachdem du eine tiefe Verletzung erfahren hast. Vielleicht hast du eine Trennung oder einen Verlust durchgemacht oder eine Krankheit. Oder du hast lange entgegen deinem Herzen gehandelt, vielleicht zu viel (im falschen Job) gearbeitet. Jetzt darf nach all den Tränen, die du geweint hast, nach all den Konflikten, die du ausgetragen hast, langsam aber sicher wieder Ruhe einkehren in dein Leben. Sieh dir die Karte einmal an: Der Ritter ruht in einer Kirche auf einem Grab, seine Augen sind geschlossen. Er hat das Kampfschwert abgelegt, denn er braucht es nicht mehr. Alles in dieser Karte strahlt Ruhe und Frieden aus. Auch die Hoffnung zeigt sich schon am Horizont: Durch das farbige Kirchenglas-Fenster strahlt Licht herein. Die Botschaft dieser Karte ist: Ruh dich aus. Nimm dir bewusst Zeit für dich, für Ruhe, Entspannung und Stille.

Die Vier der Schwerter – umgekehrt

Obwohl du bis an deine Grenzen gegangen bist und darüber hinaus, gönnst du dir keine Pause. Hast du Angst vor der Stille, vor deinen eigenen Gedanken, mit denen du dich befassen musst, wenn du eine Pause einlegst? Oder fürchtest du, dein Ziel nicht zu erreichen, wenn du mal innehältst? Eine weitere Deutungsmöglichkeit ist, dass du dich in dein Schneckenhaus verkrochen hast, nachdem du in der Außenwelt eine Verletzung erfahren hast.

Wie die Vier der Schwerter dir neue Energie schenkt

1. Überlege dir ein paar **Affirmationen**, die du mehrmals täglich still oder laut sprichst. Fühle, während du sie aussprichst, in die Bedeutung dieser Sätze hinein, und wiederhole sie täglich, um deinem Unterbewusstsein ein liebevolles Update zu schenken.
   Ich bin ...
   Ich verdiene ...
   Ich wünsche mir .../Ich darf ...
   Vervollständige nun jeden dieser Sätze mit einem positiven Ende, zum Beispiel:
   Ich bin wertvoll.
   Ich verdiene es, bedingungslos geliebt zu werden.
2. Sorge für viel **Schlaf**. Schlaf ist so heilsam, weil er dir hilft, das Geschehene zu verarbeiten und dich wieder mit Energie auflädt. Hier ein paar Tipps, die mir geholfen haben, besser ein- und durchzuschlafen: Auch wenn es todlangweilig klingt – Schlaf ist ein Gewohnheitstier. Er mag es, wenn du zu ungefähr derselben Zeit ins Bett gehst und wieder aufstehst. Wieviel Schlaf du brauchst, ist individuell, allerdings glaube ich, dass kein Mensch mit dauerhaft unter 7 Stunden Schlaf happy ist. Ich habe außerdem festgestellt, dass ich besser schlafe und mich auch mental besser fühle, wenn ich relativ früh ins Bett gehe (weit vor 23 Uhr). Was du in der Zeit vor dem Schlafengehen machst, ist ebenso entscheidend. Ich will Fernsehen oder Instagram am Abend gar nicht verteufeln – eine halbe Stunde vor dem Einschlafen jedoch stört es deinen Schlaf. Schöne Rituale kurz vor dem Einschlafen sind ein Dankbarkeitstagebuch, sanftes Gute-Nacht-Yoga oder ein Buch lesen.

Vier der Münzen

Jetzt ist die Zeit für:
Den achtsamen Umgang mit Geld und Ressourcen, Nachhaltigkeit, Nächstenliebe, Weitsicht, Work-Life-Balance

Mit dieser Karte konnte ich lange Zeit nicht so viel anfangen. Ich fragte mich, warum dieser Krämer oder Kaufmann seine Münze so umklammert und so ernsthaft blickt. Oder ist er traurig? Hat er Angst, seinen Besitz zu verlieren?

Es geht bei dieser Karte nicht darum, die Befriedigung im Konsum zu suchen. Sondern vielmehr um die Frage: Wie kannst du mit Geld Gutes in diese Welt bringen? Wie kannst du mit Geld dein eigenes und das Glück Anderer maximieren? In diesem Sinne geht es schon darum, dass du Geld und Materie nicht nutzlos ansammelst, so dass dir dein ganzer Besitz förmlich die Luft zum Atmen oder dir die Sorge um den möglichen Verlust deines Besitzes dir die Freude daran nimmt.

Diese Karte möchte dich also dazu einladen, deine Haltung zu Geld und deinen Werten zu überdenken. In meinen Zwanzigern lebte ich vor allem nach einer yolo Mentalität, meine Käufe waren gesteuert von Impulsivität, statt dem Gedanken der Nachhaltigkeit. Früher Fleisch und Fisch ohne Gedanken über Auswirkungen aufs Klima und Tierwohl, während ich heute mit viel Spaß und Neugier immer mehr vegane Alternativen entdecke. Früher dachte ich: Wenn ich weniger arbeiten müsste, würde ich nur chillen und ganz viel (Flug-)reisen. Innerhalb Europas ist es nun meine neue Herausforderung, Bahnverbindungen zu entdecken. Es geht bei dieser Karte darum zu hinterfragen, wozu Geld und Besitz in deinem Leben und in unser aller Leben dient.

Die Vier der Münzen – umgekehrt

Auf dem Kopf liegend kann diese Karte zwei Bedeutungen haben: Die erste Möglichkeit ist, dass du nichts an deinem Umgang mit Geld ändern möchtest. Du möchtest dein Geld für dich und siehst keinen Sinn darin, etwas davon abzugeben. Hinter deinem Verhalten steht die Angst. Angst vor Verlust, Angst vor Mangel, Angst, dass dir jemand etwas wegnehmen könnte. Woher kommt diese Angst? Die zweite Deutungsmöglichkeit ist, dass du vor Kurzem etwas verloren hast. Hast du Geld verloren? Dein Zuhause? Geliebte Besitztümer? Einen Job? Dann ist nun eine Ruhepause gekommen, in der du dich neu definieren kannst.

Wie du die Vier der Münzen-Energie für dich nutzt

Welche konkreten Schritte kannst du gehen, um **nachhaltiger** und **weitsichtiger** zu leben? Hier ein paar Impulse: Bei welcher Bank hast du dein Konto? Wofür stehen die Unternehmen, die du unterstützt? Wie produzieren sie, wie sind die Arbeitsbedingungen für Mitarbeiter? Du hast selbst in der Hand, ob du fossile Energien, Kinderarbeit und die Rüstungsindustrie unterstützt oder nachhaltige Unternehmen und Projekte. Beim Thema Kleidung und Konsum ist die erste Frage, die du dir stellen kannst: Brauche ich das wirklich? Falls ja, achte bei deinen Käufen auf gute Qualität und geh doch auch mal Second Hand shoppen – in Läden oder auf Onlineplattformen wie ebay Kleinanzeigen oder vinted. Auch bei deiner Ernährung kannst du sehr viel für die Nachhaltigkeit tun und gleichzeitig Tiere schützen – nämlich jedes einzelne Mal, wenn du dich für eine vegetarische oder noch besser vegane Alternative entscheidest. Bei Obst und Gemüse gilt: am besten Bio, regional und saisonal.

Vier der Stäbe

Jetzt ist die Zeit für:
Ein Fest feiern, gemeinsam erreichte Ziele zelebrieren, Dankbarkeit zeigen, den Moment bewusst genießen, dich für deine Erfolge anerkennen

Eine so schöne Karte! Glückwunsch, denn hier gibt es etwas zu feiern. Hinter einem mit einer Blumengirlande geschmückten Tor stehen zwei Menschen, die Blumensträuße in den Händen halten und die Arme in die Höhe reißen. Hinter ihnen liegt eine feste, sichere Burg. Diese Karte kann ein freudiges Ereignis in einer Liebesbeziehung andeuten: eine Hochzeit, Verlobung, Zusammenziehen, die Geburt eines Kindes oder andere gemeinsame Projekte, deren Erfolg ihr nun feiern dürft. Darüber hinaus kann sie auch Erfolge im beruflichen Leben oder in Freundschaften beschreiben. Typischerweise geht es hier um etwas, auf das du zusammen mit einer anderen Person hingearbeitet hast und das nun erste Früchte abwirft. Nun ist der Moment, um diesen Erfolg gemeinsam zu zelebrieren. Wer hat (vielleicht auf indirektem Wege) noch weiter zu eurem Erfolg beigetragen? Lade sie alle ein! Oder lass sie zumindest wissen, wie du dich in deinem Erfolg fühlst und wie sie dazu beigetragen haben. Erfolg und Glück vergrößern sich, ja sie ziehen ganz und gar magische Kreise, wenn du sie teilst. Vielleicht hast du nun Angst, wie ein Angeber dazustehen. Ich finde, es kommt ganz darauf an, wie man Erfolg feiert und teilt. Wenn du dabei deine Wertschätzung Anderen gegenüber zum Ausdruck bringst, die dich durch ihre Motivation, den festen Glauben an dich, durch emotionale und praktische Hilfe beim Erreichen deines Ziels unterstützt haben, kannst du nichts falsch machen. Genieße diesen Moment des Freude-Teilens.

Die Vier der Stäbe – umgekehrt

Wenn du diese Karte auf dem Kopf liegend ziehst, ist sie ein Hinweis darauf, dass du unrealistische Erwartungen an Andere stellst, die sich nicht erfüllen. Dadurch fühlst du dich unglücklich. Oft ist der Ursprung dieser Erwartungen die eigene Unsicherheit. Wo kommen deine Erwartungen her?

Wie du die Vier der Stäbe-Energie genießt und zelebrierst

1. Feiere ein **Fest**! Lade die Menschen ein, die dir am Herzen liegen und mit denen du gern feiern möchtest. Insbesondere diejenigen, denen du danken möchtest, gehören auf die Gästeliste. Wie soll dein Fest aussehen?
2. Schau dir **Fotos** von vergangen Festen an und reflektiere, was du am Feiern magst und wie du Feste am liebsten genießt. Welche schönen Erinnerungen verbindest du zum Beispiel mit deinem Geburtstag?
3. Teile deine **Erfolgsgeschichte** online. Nein, es geht hier nicht um eine Instagram Show a la so toll und perfekt ist mein Leben. Es geht vielmehr um die Frage, wie du mit deiner (Erfolgs-)Geschichte Gutes in der Welt verbreiten kannst und Andere dazu inspirierst und motivierst, an sich und ihre eigenen Erfolge zu glauben.
4. Genieße den Moment mit einer **Schokoladenmeditation:** Schnapp dir deine Lieblingsschoki und packe sie ganz langsam aus. Betrachte die Schokolade nun von allen Seiten. Was fällt dir auf? Brich nun ein Stück ab, riech daran und führe es achtsam zu deinem Mund. Lass es ganz bewusst auf deiner Zunge zergehen. Mach diese Meditation gern zusammen mit einem lieben Menschen.

Vier der Kelche

Jetzt ist die Zeit für:
Die Ursache für deine Unzufriedenheit finden, dich wieder mit dir selbst verbinden, reflektieren, in der Natur Kraft tanken, neue Chancen erkennen

Hier sitzt jemand unter einem Baum und schmollt. Er hat sich zurückgezogen, schaut sich seine derzeitige Situation (die drei Kelche) an und schenkt dem vierten Kelch, der ihm gereicht wird, keinerlei Beachtung.
Um welches Angebot, welche Entscheidung, welche Hilfestellung könnte es sich hier handeln? Was ist da in deinem Leben, dem du keine Beachtung schenkst? Welche Chance wird dir gereicht, die du nicht ergreifst? Vielleicht kommen dir intuitiv nun bereits ein paar Ideen. Vielleicht hast du aber wirklich keinen blassen Schimmer. Um der Antwort näherzukommen, frage dich auch: Was verursacht deine momentane Unzufriedenheit? Wovon bist du genervt? Worüber schmollst du? Wir richten unsere Aufmerksamkeit häufig auf die Dinge in unserem Leben, die uns nicht gefallen. Auf der Arbeit nerven die faulen Kollegen, wir sind angepisst, weil der Partner nicht im Haushalt hilft, oder wir als Single nur Vollidioten daten. Auf Instagram posten Andere ihr wundervolles Leben, während bei uns alles höchstens Mittelklasse läuft.
Der Rückzug, den du hier intuitiv gemacht hast, kann dir helfen, dich wieder tiefer mit dir selbst zu verbinden. Auf diese Weise kannst du die Ursachen deiner Unzufriedenheit erforschen, um dir darüber klar zu werden, was du nicht willst und was hingegen umso mehr.

Die Vier der Kelche – umgekehrt

Auf dem Kopf verändert sich diese Karte kaum. Es geht noch immer darum, dass du unzufrieden bist mit der momentanen Situation und die Möglichkeiten, die sich dir aufzeigen, verschmähst oder nicht einmal wahrnimmst. Möglicherweise befindest du dich in einer gelangweilten Stimmung ohne jeglichen Antrieb, etwas zu ändern.

Wie du mit der Vier der Kelche deine Unzufriedenheit loslässt

Lass dein Handy zuhause, schnapp dir dein **Journal** und gehe raus in die Natur. Suche dir einen kraftvollen Baum aus, an dem du ungestört für dich sein kannst. Setz dich darunter und stelle dir die folgenden Fragen:

- ★ *Was macht mich unglücklich? Was will ich nicht mehr?*
- ★ *Wie sieht die ideale Situation aus? Was wünsche ich mir?*
- ★ *Was brauche ich, um dorthin zu gelangen? Was kann ich selbst tun? Wer kann mir helfen? Was ist der erste Schritt, mit dem ich heute noch anfangen kann?*

Lass dich nicht entmutigen, falls du das Gefühl hast, dass deine ideale Situation weit entfernt von deiner heutigen Realität liegt. Den allerersten Schritt für eine Veränderung hast du nun schon getan. Du hast analysiert, woher deine schlechte Laune kommt. Du bist dir darüber klargeworden, was du dir für dein Leben wünschst, und hast ein Ziel vor Augen. Nun kannst du dich auf die Chancen und Möglichkeiten fokussieren, die dir helfen werden, dein Ziel zu erreichen. Halte also Ausschau nach Kelchen, die dir gereicht werden, und sei bereit, sie anzunehmen.

Fünf der Schwerter

Jetzt ist die Zeit für:
Handlungsmuster hinterfragen, offen sein für Veränderungen, deine Schattenanteile umarmen, Machtkämpfe hinter dir lassen, Teamwork

Die Einzelkämpferkarte. Mit einem triumphierenden, schelmischen Grinsen schaut der Kämpfer zurück auf seine Gegner, die sich vom Kampffeld zurückziehen. Der junge Mann im Vordergrund hat schon drei Schwerter aufgesammelt; es sieht so aus, als wolle er weiterkämpfen.

Ich weiß nicht, wie es dir geht beim Betrachten dieser Karte, aber ich mag sie nicht. Sie verkörpert für mich Machtkämpfe, zu viel Ego und Verletzung. Es ist gut, sich einzusetzen und für etwas zu kämpfen, was dir wichtig ist – falls das nötig ist. Aber das Wie ist wichtig. Warum allein und so, dass es nur einen Gewinner gibt? Ich zog diese Karte, als ich mich unzufrieden fühlte in meinem Hauptberuf – meiner Stelle als Doktorandin. Ich hatte Urlaub und kam endlich wieder zu Dingen, die mich erfüllten: schreiben, malen, kreativ sein, Zeit mit meiner Familie verbringen sowie die Freiwilligenarbeit bei Fridays for Future. Nach einem Tag voller Teamwork, sprudelnden Ideen, Aktionismus und dem Gefühl von Zusammenhalt dachte ich an meinen Job und hatte schon keine Lust mehr auf ihn. *Die Fünf der Schwerter* zeigte mir auch auf, warum: Weil ich keine Einzelkämpferin sein will. Ich möchte etwas bewegen in der Gesellschaft, für die Gesellschaft, und zwar mit Anderen, anstatt allein. Ich möchte keinen Wettkampf, keine Ellenbogenmentalität, sondern einen inklusiven Führungsstil. Leider ist die patriarchische Mentalität in der Wissenschaft, aber auch allgemein in der deutschen Gesellschaft

viel zu stark vertreten. Du kennst mich mittlerweile, ich bin Optimistin. Was ist also das Gute an dieser Karte? Die Fünf steht für Veränderung. Es ist jetzt also an der Zeit, diese Muster in dir selbst und in der Gesellschaft zu hinterfragen.
Diese Karte kann außerdem den Kampf gegen innere Anteile von dir darstellen. Anteile, die du an dir nicht magst und die du deswegen zu bekämpfen versuchst. Doch das ist keine nachhaltige Lösung. Das liebevolle Akzeptieren dieser Anteile wird auf lange Sicht die bessere Lösung sein.

Die Fünf der Schwerter – umgekehrt

Auf dem Kopf gezogen symbolisiert diese Karte Zorn, Verbitterung und Rachegelüste. Du warst in einen Streit verwickelt und fühlst dich ungerecht behandelt. Dieses schwere, erdrückende Gefühl der Ungerechtigkeit trägst du in deinem Alltag mit dir. Lass es los.

Wie du die Fünf der Schwerter-Energie in magischen Zusammenhalt verwandelst

1. Nimm dir Zeit für **Reflexion**. Wann in deinem Leben hast du letztlich egoistisch gekämpft? Was war der Beweggrund für dein Verhalten?
2. Vielleicht hast du das Gefühl, dass diese Karte nicht (nur) dich persönlich betrifft, sondern Bezug nimmt auf die Strukturen in deiner Umgebung – dein Zuhause, das Land, in dem du lebst, die Organisation, für die du arbeitest, die Struktur in unserer Welt. Wo nimmst du Egoismus, Kurzsichtigkeit, Ausbeutung, *Win-Loose*-Situationen wahr? Dein erster Schritt ist nun: Tu dich zusammen, forme ein **Team** mit Gleichgesinnten, um gemeinsam etwas zu verändern.

Fünf der Münzen

Jetzt ist die Zeit für:
Mitgefühl zeigen, auf eine andere Person zugehen, versöhnende Gespräche, Vorwürfe loslassen, wieder zueinander finden

Eine kalte, dunkle Winternacht, in der es schneit. Zwei Menschen, in Lumpen gekleidet, die eher einsam als gemeinsam durch die eisige Nacht laufen. Ihre Gesichter wirken erschöpft, traurig, krank. Einer der Menschen ist offensichtlich verletzt: Er stützt sich auf Stöcken ab und trägt einen Verband um den Kopf. Seine Stirn sowie seine Hand sind blutig. Diese Karte symbolisiert Armut, Einsamkeit und das Nicht-Dazugehören. Die Armut kann nicht nur finanziell sein, sondern auch emotionale Armut: verletzte Egos, Verbitterung und Gefühlskälte. Ich frage mich, wie die Beziehung der beiden Menschen auf der Karte zueinander ist und warum die Frau dem verletzten Mann nicht hilft. Ob dies schon immer so war? Wann hat das angefangen? Standen diese Personen sich etwa einmal sehr nahe? Was ist hier passiert?
Wenn du diese Karte gezogen hast, fühlst du dich verletzt, ausgeschlossen und unverstanden wie ein*e Außenseiter*in. Es kann hier auch um eine Beziehung zu einem Familienmitglied, Partner*in oder Freund*in gehen. Welche der beiden Menschen auf der Karte bist du? Obwohl sie weit weg erscheint, ist die Befreiung aus der schmerzhaften Situation ganz nah: Ist dir das hell erleuchtete, bunte Kirchenfenster aufgefallen, das ungefähr die Hälfte der Karte einnimmt? Es schreit geradezu: Abhilfe ist ganz nah! Schaut doch nur einmal zu mir! Die Lösung in dieser traurigen Situation lautet: Zeig Liebe, zeig Wärme und Mitgefühl. Sei diejenige von euch beiden, die den ersten Schritt macht. Ihr

könnt so viele glückliche Momente gemeinsam verbringen, anstatt euch beide einsam und verbittert in Selbstmitleid zu suhlen.

Die Fünf der Münzen – umgekehrt

Falls du diese Karte auf dem Kopf ziehst, ist ihre Bedeutung milder. Du hast die aufrechte *Fünf der Münzen* in deiner Vergangenheit bereits erlebt. Die Beziehung zwischen euch ist noch nicht wieder total happy, aber ihr seid auf dem richtigen Weg. So, als hättet ihr das Kirchenfenster bereits entdeckt und bewegtet euch dorthin. Reflektiere nochmal, was du aus der damaligen Situation gelernt hast.

Wie du die Fünf der Münzen in menschliche Wärme verwandelst

Auch wenn es dich Überwindung kostet oder du es eigentlich nicht einsiehst, auf den Anderen **zuzugehen:** Tu es. Hab dabei immer im Hinterkopf, dass das warme, leuchtende Kirchenfenster das Ergebnis sein kann. Um einander wieder näherzukommen, braucht es zuerst einmal ungestörte Zeit zusammen. Geh mit einer offenen, vorurteilsfreien Haltung vor und ganz wichtig: Hab keine Erwartungen zum Ausgang dieses Treffens. Formuliere ehrlich mit Ich-Botschaften, was dir auf dem Herzen liegt. Stell deinem Gegenüber offene Fragen und vor allem: Hör zu. Lass dein Gegenüber reden, ohne es zu unterbrechen und dich zu verteidigen. Falls das schwierig ist, könnt ihr auch Folgendes ausprobieren: Jeder von euch bekommt nacheinander 15 Minuten Redezeit. In deinen 15 Minuten redest nur du und dein Gegenüber unterbricht dich nicht. Dann andersherum.

Fünf der Stäbe

Jetzt ist die Zeit für:
Deine Sicht auf die Situation verändern, dir Zeit nehmen für Entscheidungen, Spaß am Wettkampf, spielerisches Austesten von Grenzen, neue Impulse

Die *Fünf der Stäbe* repräsentiert einen Kampf, bei dem du entscheidest, wie du ihn führen möchtest. Du kannst diese Karte neugierig, optimistisch und spielerisch betrachten. Ein Wettbewerb, ein Kräftemessen, das Entdecken deiner eigenen Grenzen und der Grenzen der Anderen. Es geht heiß her auf dem Schlachtfeld, auf dem die Personen mit Stöcken hantieren. Hier ist eine Menge Energie im Spiel, und wenn es in deiner Situation weniger um eine Auseinandersetzung mit anderen Personen geht, sondern um einen inneren Konflikt, schwirren dir wahrscheinlich gerade sehr viele Ideen im Kopf herum, die sich widersprechen. Du weißt dann nicht so recht, wie du Ordnung in dieses Chaos bringen sollst.

Die Wertung über positiv oder negativ dieser Karte liegt ganz bei dir selbst. Wenn du ein friedliebender Mensch bist, belastet dich die Situation des Kräftemessens und Revier-Absteckens womöglich. Neue Impulse, die dich ein Stück weit aus deiner Komfortzone heraustreiben, können jedoch sehr erfrischend sein und neues Feuer in eine Sache bringen, die drohte, langweilig zu werden. Wenn du diese Karte als herausfordernde Chance siehst, anstatt als eine Bedrohung, wirst du mit deiner Situation bestmöglich umgehen können.

Wenn Andere in die Situation involviert sind, sind die Debatten hitzig, voll von verschiedenen Ideen und Meinungen. Vielleicht fühlst du dich so, als müsstest du deinen Stand verteidigen, und empfindest es als schwierig, allen Anforderungen gerecht zu werden. Geh davon aus, dass die Anderen dir helfen möchten, betrachte sie nicht als deine Feinde.

Die Fünf der Stäbe – umgekehrt

Auf dem Kopf verändert sich die Bedeutung der Karte im Gesamten unwesentlich, allerdings ist ihre Energie weniger stark. Das bedeutet, dass der Konflikt, der dich beschäftigt, weniger dringlich ist. Vielleicht liegt er noch ferner in der Zukunft, so dass du gerade erst anfängst, dir darüber Gedanken zu machen.

Wie du die Energie der Fünf der Stäbe optimal nutzt

1. Begib dich mal wieder in eine spielerische **Wettbewerbssituation**. Das wird dir helfen, gelassener mit Konflikten umzugehen und den Spaß sowie das Gute in solchen Situationen zu sehen. Wie wäre es mal wieder mit einem sportlichen Wettbewerb oder einem Spieleabend mit Freunden?

2. Wenn du das Chaos in deinem Kopf ordnen möchtest: Bringe alle Optionen, Ideen und Möglichkeiten zu Papier. Beim **Aufschreiben** wirst du merken, welche Ideen dich kalt lassen und welche Ideen das Feuer in dir entfachen. Lass deine Notizen einen Tag lang ruhen und schau sie dir dann nochmals an. Bei welchen Ideen wird dir immer noch warm ums Herz?

Fünf der Kelche

Jetzt ist die Zeit für:
Jeden Tag als neue Chance begreifen, negative Gefühle transformieren, Selbstliebe praktizieren, deinen Fokus auf das Gute lenken, Scham loslassen

Du kannst nur das sehen, worauf du deine Augen richtest. Diese Karte zeigt dir, dass es entscheidend ist, wohin du deine Aufmerksamkeit lenkst. Eine Person in einem schwarzen Umhang, der Trauer und Schwere verkörpert. Ihr Kopf ist gesenkt. Neben ihr liegen drei Kelche umgefallen auf dem Boden. Was mag hier wohl passiert sein?
Wie immer bei den Kelchkarten geht es um Gefühle. Trauer, Enttäuschung, vielleicht Wut. Die Kelche sind leer, weil die Person etwas verloren hat. Häufig geht es hier um Beziehungsthemen: eine Trennung, das Ende einer Freundschaft oder ein heftiger Streit. Oder eine Situation, in der du „dein Gesicht verloren hast": etwas, das peinlich war oder wofür du dich schämst.
Jetzt bist du traurig und wütend, womöglich am meisten auf dich selbst. Dein Schmerz darf da sein, wenn du dich jedoch nur noch darauf fokussierst, kommst du in eine negative Spirale. Alles Gute, das in deinem Leben ist, siehst du nicht – weil du ihm keine Aufmerksamkeit schenkst. Dreh dich mal um! Da sind zwei Kelche, die noch stehen. Von nun an haben diese strahlend goldenen Gefäße dein volles Interesse verdient. *Who cares*, was gestern war? Jeder neue Tag ist eine Chance, etwas zu ändern. Verschwende keine Zeit mehr darauf, dich selbst abzuwerten und zu bemängeln oder Dingen hinterher zu trauern, an denen du nichts ändern kannst.

Die Fünf der Kelche – umgekehrt

Heilung ist ein Prozess, der vor allem eins benötigt: Zeit. Der Verlust, den du erlitten hast, liegt wahrscheinlich schon etwas länger zurück und du befindest dich nur mitten im Heilungsprozess. Mit deinen beiden aufrechten Kelchen gießt du deine magische Medizin über deine Wunden.

Wie du mit der Fünf der Kelche Traurigkeit überwindest

1. Voller Fokus auf deine zwei aufrechten Kelche: Wir machen die beiden Kelche so voll, dass du die umgefallenen anderen drei Kelche schnell vergessen wirst. Besorge dir dafür zwei schöne **Gefäße**, die deine Kelche symbolisieren. Du kannst auch einfach zwei leere Schraubgläser nutzen und diese, wenn du magst, verzieren. Mach dir dann eine Liste mit 20 Dingen, die gut sind in deinem Leben. Denke hierbei zum Beispiel an Freunde, Familienmitglieder oder andere Personen, die dich unterstützen, Tiere, die Natur, dein Zuhause ... Schreib dir dann auf einem weiteren Blatt 20 positive Eigenschaften auf, die dich ausmachen. Befülle nun deine beiden Kelche mit jeweils einer Liste und platziere sie an einem Ort, den du regelmäßig siehst. Sie sind ein Reminder an all deine Ressourcen!

2. DER Stein für Liebe und Selbstliebe ist der **Rosenquarz**. Ich trage diesen Stein tagtäglich als Kette und liebe seine magische Wirkung. Schenke dir selbst eine Kette mit diesem zauberhaften Stein, der dein Herz mit Liebe erfüllt.

Sechs der Schwerter

Jetzt ist die Zeit für:
Dein Wohlergehen ernst nehmen, deine Lieben schützen, belastende Situationen beenden, dein Leben neu ausrichten, konsequent handeln

Die *Sechs der Schwerter* zeigt drei Personen, die uns mit dem Rücken zugewandt sind. Der Mann, die Frau und das Kind – wahrscheinlich eine Familie – sitzen in einem Boot, das mit Schwertern gespickt ist. Welches Gefühl vermittelt dir diese Karte? Sie erinnert mich immer an die Flüchtlingskrise, in der Millionen Menschen gezwungen waren, ihr Heimatland zu verlassen, weil dort ein sicheres, menschenwürdiges Leben unmöglich ist. Diese Entscheidung muss unfassbar schwierig sein. Jedoch ist sie in einer solchen Situation die einzig richtige. Wenn die *Sechs der Schwerter* in deinem Leben auftaucht, liegt wahrscheinlich eine Zeit voller Schmerz und Konflikten hinter dir. Die Dinge haben sich überschlagen und nun bist du an dem Punkt, an dem du einen Entschluss gefasst hast: So kann es nicht weitergehen. Das will ich nicht für mein Leben!
Die *Sechs der Schwerter* erinnert mich an meine Flucht aus Argentinien zurück nach Deutschland. Eine gefühlte Ewigkeit habe ich in einer toxischen Beziehung Beleidigungen, Bedrohungen und körperliche Gewalt ertragen. Schon lange wusste ich, dass es so nicht weitergehen konnte, und mit jedem Tag sehnte ich mich mehr in meine deutsche Heimat zurück. Meine Angst, zurückzukehren nach meinem überstürzten Umzug in die Ferne, war jedoch riesig. Schließlich ging ich zur Polizei und erstattete Anzeige. Während er arbeitete, packte ich in Windeseile und quartierte mich in einem Hostel ein. Von dort aus buchte ich den nächsten bezahlbaren Flug nach Deutschland.

Die Sechs der Schwerter – umgekehrt

Auf dem Kopf liegend kann diese Karte verschiedene Bedeutungen haben. Entweder, du befindest dich noch in einer ausweglosen, vielleicht gar traumatischen Situation, aus der du nicht ausbrichst. Was hindert dich? Such dir unbedingt (professionelle) Hilfe, um diesem Drama ein Ende zu setzen.
Eine andere Deutungsmöglichkeit ist, dass du gerade mit einem Trauma aus deiner Vergangenheit konfrontiert wirst. Dann ist diese Karte ein Aufruf an dich, Vergangenes aufzuarbeiten.

Wie du stark und selbstsicher aus der Sechs der Schwerter-Energie hervorgehst

1. Versuche jetzt, nicht zu weit im Voraus zu planen und dir Gedanken zu machen über Dinge, die noch nicht wichtig sind. Alles was zählt ist, dass du dort bist, wo du jetzt bist. Du bist nicht länger gefangen und gehst absolut in die richtige Richtung. Suche Halt und **Unterstützung** bei den Menschen, denen du vertrauen kannst – Freunde, Familie oder vielleicht Menschen, die Ähnliches erlebt haben.
2. Übe dich darin, trotz allem **optimistisch** zu bleiben. Lenke deine Aufmerksamkeit immer wieder auf das Gute in der Situation. Wofür könnte es gut gewesen sein? Wie glücklich schätzt du dich, nicht länger in dieser Situation zu verharren?
3. Wenn du dich in einer Situation befindest, in der du seelische, sexuelle und/oder körperliche Gewalt erfährst und du nicht weißt, wie du dich aus dieser Situation befreien sollst, nimm bitte die **Opferhilfe** (unter der Telefonnummer 116006, kostenlos) oder das Hilfetelefon Gewalt gegen Frauen (0800/116016, kostenlos) in Anspruch.

Sechs der Münzen

Jetzt ist die Zeit für:
Geben um des Gebens willen, Anderen helfen, Großzügigkeit, ehrenamtliches Engagement, Aufschieberitis beenden

Kannst du geben, ohne eine Gegenleistung zu erwarten? Die Person auf der Karte schenkt zwei armen Bettlern mehrere Münzen. Ihr roter Umhang deutet auf Herzenswärme und Willenskraft hin – sie ist vollkommen überzeugt von dem, was sie tut, und handelt aus Mitgefühl. Die goldene Waage in ihrer Hand symbolisiert Ausgleich und Gerechtigkeit.

Bei dieser Karte geht es um Großzügigkeit und Teilen, und zwar, weil du es aus vollem Herzen wirklich möchtest. Es kann hier zum Beispiel um das Geben in deiner Beziehung gehen. Und geben ist wahrlich nicht auf Geld und materielle Dinge beschränkt, sondern schließt vor allem Zeit, Aufmerksamkeit und Hingabe mit ein. Ich nenne diese Karte auch gerne die *Charity*-Karte. Denn sie ist ein Aufruf, denen zu helfen, die schlechter dran sind als du. Spannenderweise lassen sich durch ehrenamtliche Arbeiten sogar depressive Symptome lindern. Das kommt dadurch, dass du in einer depressiven Stimmung sehr mit dir selbst beschäftigt bist: Der Fokus liegt auf dem eigenen Leid. Wenn du nun eine Aufgabe übernimmst, in welcher du Gutes tust für Menschen (oder Tiere, die Umwelt usw.), die sich in einer misslichen Lage befinden, kannst du den Fokus vom eigenen Ego verschieben auf das Wohlbefinden Anderer. Darüber hinaus kannst du deine eigenen Probleme hierdurch besser relativieren: Es gibt immer jemanden, der es schwerer hat als du.

Die Sechs der Münzen – umgekehrt

Umgekehrt möchte diese Karte dir sagen, dass du durch dein momentanes Verhalten etwas von deinem Zukunfts-Ich stiehlst. Es geht darum, dass du etwas vor dir herschiebst, von dem du weißt, dass du es eigentlich längst hättest tun sollen, um glücklicher zu werden.

Wie du mit der Sechs der Münzen Freude am Geben erfährst

1. Hast du dich schonmal **ehrenamtlich** engagiert und das erfüllende Gefühl erlebt, Anderen deine wertvolle Zeit zu schenken? Vielleicht bist du abgeschreckt, weil du meinst, dass du dich regelmäßig an eine Arbeit binden musst, oder hast Angst, der Aufgabe nicht gewachsen zu sein. Es gibt jedoch unendliche Möglichkeiten, sich auch ohne spezielle Vorkenntnisse und ohne regelmäßige Verpflichtung einzusetzen. Du kannst zum Beispiel im Internet, über Social Media oder über die Tageszeitung nach Möglichkeiten für ein Ehrenamt suchen. Oder du fragst direkt bei Organisationen vor Ort, in denen du gern helfen würdest.

2. Falls du wenig Zeit hast: **Spenden** geht immer. Es muss auch gar kein großer Betrag sein, du gibst das, was du geben kannst. Indem du spendest für Projekte, hinter denen du stehst, trägst du einen Teil dazu bei, dass deine Energie dorthin fließt, wo du sie dir wünschst.

Sechs der Stäbe

Jetzt ist die Zeit für:
Auf der Welle deines Erfolges reiten, den Applaus genießen, stolz auf dich sein, ein Vorbild sein für Andere, Perfektion hinter dir lassen

Ein stolzer Reiter in roter Robe reitet auf seinem festlich gekleideten Schimmel. Sein Haupt ist von einem grünen Kranz gekrönt, ebenso wie der Stab, den er vor sich trägt. Hinter dem Reiter schreitet das Volk, das ebenfalls Stäbe hochhält, als ob sie den Reiter anfeuern und feiern wollten.

Diese Karte verkörpert die – wohlverdiente – Anerkennung, einen Erfolg. Du darfst stolz sein auf das, was du erreicht hast, und dich der Welt zeigen. Auch wenn es sich unangenehm ungewohnt anfühlt: Lass dich feiern! Du weißt, dass du auf dem richtigen Weg bist. Halte kurz inne, nimm die Komplimente mit einem ehrlichen „Dankeschön" an und bedanke dich auch bei deinen Unterstützern. Wer hat dir geholfen bei der Umsetzung deiner Ziele? Nimm dir einen Moment, um dich ebenso bei dir selbst zu bedanken. Und dann reite auf der Welle des Erfolgs weiter zur nächsten Etappe. Nutze diese positiven *Vibes* für neue Motivation, Inspiration und Kraft.

Die Sechs der Stäbe – umgekehrt

Wenn du dir die Karte auf dem Kopf herum ansiehst, siehst du, wie der stolze Reiter von seinem Pferd plumpst und an seinem Stab steckenbleibt. Erfolg und das Streben nach Erfolg kann dazu führen, dass du dich zu viel mit dir selbst beschäftigst und das große Ganze aus den Augen verlierst. Diese Karte warnt dich davor, egozentrisch und arrogant zu handeln.

Eine andere Deutungsmöglichkeit ist: Du hast etwas erschaffen, aber traust dich nicht, es in die Welt zu bringen. Weil es deiner Meinung nach noch nicht gut genug ist. Du bist schon so weit, und was du erschaffen hast, ist klasse!

Wie du mit Sechs der Stäbe-Energie auf der Erfolgswelle reitest

1. Alles beginnt mit deiner persönlichen Definition von **Erfolg**. Was bedeutet Erfolg für dich? Wann bist du erfolgreich? Und ist diese Definition wirklich deine oder hast du sie von deinem Elternhaus, von Freunden oder aus der Gesellschaft übernommen, weil du meinst, dass es so sein sollte?

2. Nimm dir für die nächsten sechs Wochen morgens sechs Minuten Zeit für dieses **Morgenritual:** Setz dich an einen ruhigen Ort. Zünde dir eine Kerze an in deiner Lieblingsfarbe. Schaue auf das warme Licht der Kerze und verbinde dich dann bewusst mit dem, was du erschaffen willst – mit deinem großen Traum, deinem Erfolg. Spüre in dich hinein, wie sich die Erfüllung deines Traumes anfühlt, und genieße diesen magischen Moment. Damit ziehst du deine Wünsche bewusst in dein Leben. Schreibe dann auf, welchen Erfolg du gestern erlebt hast. Der kann auch ganz klein sein, z.B. dass du dir Zeit genommen hast für eine Yogaeinheit, genug Wasser getrunken hast ... Was hat sich gestern gut angefühlt? In welchem Moment hast du dich gefreut? Wie hast du diese Situation selbst kreiert? Puste dann die Kerze aus und überlege dir währenddessen, welche Vorhaben du heute in die Tat umsetzen willst.

Sechs der Kelche

Jetzt ist die Zeit für:
Eine Reise in die Vergangenheit, die Verbindung mit deinem Inneren Kind, Heimatverbundenheit, Kindern helfen, Nächstenliebe leben

Diese Karte löst in mir ganz tiefe, wohlige Gefühle aus. Eine Person reicht einem Kind einen goldenen Kelch mit einer rankenden Pflanze, die strahlend blüht. Im Vordergrund der Karte stehen weitere dieser hübsch bepflanzten Blumenkelche. Es geht hier also um das Geben, um das Schenken; es ist genug von allem da, die Fülle ist sichtbar. Im Hintergrund steht eine Festung, die die sichere Heimat, das Zuhause symbolisiert.

Wer könnte das Kind auf der Karte sein? Wenn du Kinder hast, ist es naheliegend, dass es hier um sie geht. Doch auch andere Kinder können gemeint sein. Kinder aus der Nachbarschaft, deiner Verwandtschaft oder vielleicht möchtest du benachteiligten Kindern etwas Zeit schenken?

Die *Sechs der Kelche* hat noch eine weitere Bedeutung. Sie steht auch für eine Reise in die Vergangenheit, eine Verbindung mit deinem eigenen Inneren Kind. Wer warst du als Kind? Was hast du gern getan? Was waren deine Wünsche und Träume? Wenn du es als schwierig empfindest, diese Fragen zu beantworten, taste dich erst einmal langsam wieder ran. Womit hast du gern gespielt? Wer waren deine Freunde? An welche schönen, magischen Momente aus deiner Kindheit erinnerst du dich gern? Die Karte hat also damit zu tun, in deine Heimat, zu deinen Wurzeln zurückzukehren.

Die Sechs der Kelche – umgekehrt

Du wünschst dir das Leben aus deiner Vergangenheit zurück – das steht dir im Weg. Akzeptiere, dass du nun erwachsen bist und für dich und dein Verhalten selbst Verantwortung trägst. Du kannst die Zeit nicht zurückdrehen, aber du kannst im Hier und Jetzt leben und an deinen Herausforderungen wachsen.

Wie du den Sechs der Kelche-Zauber erfährst

1. Verbringe Zeit mit **Kindern**. Sei achtsam hierbei und schenke der Situation die volle Aufmerksamkeit (Handy weg, Fernseher aus, kein Tablet ...). Spielt was zusammen oder macht etwas Kreatives. Lass dich ein wenig in die Welt der Kinder entführen und erlaube dir, auch mal wieder ein fantasievolles, heiteres, unbeschwertes Kind zu sein. Was kannst du von Kindern lernen?

2. Setze dich für ein **Projekt** ein, in dem Kindern geholfen wird. Arme Kinder, hungernde Kinder, Kinder mit Behinderungen, Flüchtlingskinder, Kinder, die Gewalt erfahren haben ... Die Liste derer, die Hilfe gebrauchen können, ist lang. Was kannst du schenken? Ist es Zeit, Geld oder vielleicht Dinge, die du selbst nicht mehr brauchst?

3. Sei einen Tag lang wieder selbst ein Kind. Einen Tag ganz viel **spielen**, albern sein, Süßigkeiten, eine Pyjama-Party ... Lade deine Freunde, Geschwister, Kinder, Neffen und Nichten ein und genießt zusammen diesen Tag.

Sieben der Schwerter

Jetzt ist die Zeit für:
Dir deine Fehler eingestehen und verzeihen, um Entschuldigung bitten, von der Opferrolle in die Powerrolle kommen, dich freimachen von Urteilen, Eigenverantwortung

Als harmonieliebender Mensch ist mir diese Karte immer ein wenig unangenehm. Hilft ja nix – sie ist nun einmal da. Ein Mann stiehlt fünf von insgesamt sieben Schwertern und schleicht sich mit einem zwielichtigen Grinsen im Gesicht weg. So nach dem Motto: *Wenn ich nur fünf nehme, wird es schon keiner merken* oder: *Immerhin lasse ich noch zwei da, ich bin also gar nicht so böse.* Mit seiner diebischen Aktion wendet er dem Ort der sozialen Gesellschaft, den Zelten, über denen das gelbe Licht scheint, den Rücken zu. Traut er sich nun nicht mehr dorthin? Wird er ausgestoßen oder verurteilt?

Ich gehe immer davon aus, dass die Karten, die du ziehst, dir etwas über dich selbst erzählen möchten, statt über Andere. Wann hast du jemandem oder einer Gruppe von Menschen etwas weggenommen? Es geht hier ganz sicher nicht nur um das direkte Stehlen, sondern stell dir die folgenden Fragen: Wann hast du etwas getan, von dem du weißt, dass es eigentlich nicht so cool war? Wann hast du Dinge verschwiegen, die du eigentlich hättest besprechen müssen? Vielleicht fallen dir dazu gewisse Situationen ein, die von einem *Ja, aber* begleitet werden. Streich das *aber* mal weg und lass das *Ja* stehen. Von hier aus kommst du viel leichter in die Verantwortung und das Handeln. Die Schwerterenergie kombiniert mit der Zahl 7 steht für jegliche zwischenmenschliche Konflikte, privat sowie gesellschaftlich. Ich finde, dieses Bild kann auch für die soziale

Ungerechtigkeit in der Klimakrise stehen In welchem Bereich leben wir in unserer westlichen Wohlstandsgesellschaft auf Kosten von Menschen in Ländern des globalen Südens?

Die Sieben der Schwerter – umgekehrt

Diese Karte repräsentiert Verletzungen, die du dir selbst zufügst. Durch negative Gedanken über dich, die tiefe Wunden in deinem Selbstwertgefühl hinterlassen. Jetzt ist der Zeitpunkt gekommen, um dich in Mitgefühl für dich selbst zu üben und der Welt dein verletzliches, authentisches, einzigartiges, wundervolles Ich zu zeigen.

Wie du mit der Sieben der Schwerter Eigenverantwortung übernimmst

1. Mach einen Schritt auf einen anderen Menschen zu. Gib einen Fehler zu und entschuldige dich aufrichtig. Das heißt, dass du in deiner **Entschuldigung** nicht benennst, welche Fehler die andere Person deiner Meinung nach gemacht hat. Du begrenzt deine Entschuldigung auf das, was an deinem Verhalten nicht in Ordnung war, und sprichst aus, dass es dir leidtut.

2. Konflikte und Unmut entstehen manchmal, weil wir (unbewusst) eine urteilende **Haltung** annehmen. Wann beurteilst du etwas mit gut oder schlecht? Wann nimmst du die Dinge einfach nur wahr, ohne Bewertung?

Sieben der Münzen

Jetzt ist die Zeit für:
Dich anerkennen für deine harte Arbeit, deinem Wachstum Zeit geben, dir eine Pause gönnen, über deinen bisherigen Weg reflektieren, Zweifel akzeptieren

Du hast sehr hart gearbeitet und wartest nun auf die Ergebnisse, die du dir wünschst. Die Person auf der Karte hat Samen gesät, einen prächtigen, grünen Busch herangezogen und gepflegt. An diesem Busch wachsen sieben goldene Münzen, von denen eine bereits herabgefallen ist. Nun hält die Person einen Moment inne und betrachtet ihr Werk. Sieht sie glücklich und erfüllt aus? Was mag sie wohl denken, während sie die Früchte ihrer Arbeit betrachtet? Diese Karte repräsentiert klassischerweise deine Arbeit beziehungsweise das, womit du Geld verdienst. Es kann hier jedoch auch um andere Formen von Anerkennung sowie die Erfüllung von Wünschen und deine Werte gehen. Mit dieser Idee kannst du die Karte auch auf andere Lebensbereiche übertragen. Wieviel hast du investiert? Wie fühlt sich das an?
Die Energie dieser Karte ist langsam, achtsam und bedacht. Dadurch wird deine Geduld jetzt auf die Probe gestellt. Wahrscheinlich entwickeln sich die Dinge nicht so schnell, wie du es dir wünschst. Wachstum braucht jedoch Zeit und Ausdauer. Hab Vertrauen, dass alles zur richtigen Zeit zu dir kommen wird.

Die Sieben der Münzen – umgekehrt

Prokrastination. Viel mehr gibt es hier nicht zu sagen. Du schiebst eine Entscheidung vor dir her. Oder du weißt eigentlich schon sehr lange, was du tun solltest, aber tust es nicht (weil immer wieder andere Dinge dazwischenkommen). Tief in dir macht dich das unzufrieden und unglücklich. Nur du kannst daran etwas ändern. Am besten sofort.

Wie du mit der Sieben der Münzen geduldig im Vertrauen bleibst

1. Lasse das **Urvertrauen** von Mutter Erde in deinen Körper fließen. Begib dich an einen ruhigen Ort in der Natur (z.B. einen Garten, eine weite Wiese oder einen Wald), setz dich auf eine Decke im Schneidersitz auf den Boden und beobachte deine Umgebung zunächst ganz bewusst. Was siehst, riechst, hörst, schmeckst und fühlst du? Schließe nun deine Augen und spüre, wie dich deine Sitzbeinhöcker mit der Erde verbinden. Nimm wahr, wie die Erde dich trägt, dir Geborgenheit schenkt und dich beschützt.
2. Setz dich in einer sternenklaren Nacht auf eine **Schaukel**. Beginne erst langsam, dich vom Boden abzustoßen, und schaukle dann höher und höher. Spüre bei jedem Hochschaukeln, wie nah du dem Universum kommst und wie dich die Erde wieder sanft schützend in Empfang nimmt, wenn sich die Schaukel dem Boden nähert. Fühle die Weite, die Leichtigkeit und das Glück gemeinsam mit der Entschleunigung, der Geborgenheit und dem langsamen Fortschritt.
3. Pflanze deinen eigenen **Baum**, zum Beispiel aus den Kernen einer Zitrone, Aprikose, Mango, Avocado oder eines Apfels. Während du die Kerne in die Erde pflanzt, sprich eine Intention aus. Was wünschst du dir für die kommenden 7 Monate? Worauf möchtest du deine Aufmerksamkeit richten? Verbinde dich jedes Mal, wenn du deine keimenden Samen pflegst, mit deiner Intention und schau deinem Bäumchen beim ganz langsamen Wachsen zu.

Sieben der Stäbe

Jetzt ist die Zeit für:
Durchhalten, Kritik nicht persönlich nehmen, deinen Weg trotz Herausforderungen weitergehen, deine Einzigartigkeit lieben, Halt suchen bei einem Lieblingsmenschen

Auf dieser Karte sehen wir einen Mann, der auf einem Berg steht. Von unten ragen sechs Stäbe in die Höhe. Mit dem siebten Stab scheint er sich gegen diese Stäbe zu verteidigen.
Erst einmal ein Riesenkompliment an dich: Du bist so weit gekommen! Jetzt bist du an einem Punkt, an dem du herausgefordert wirst. Immer, wenn wir für ein Ziel losgehen, kreuzen irgendwann Kritik, Angriffe, Meinungsverschiedenheiten oder Rivalen unseren Weg. Es gibt immer Leute, die gegen das sein werden, was du tust – die Motive dafür können völlig unterschiedlich sein: Liebe, Angst, der Wunsch, dich zu beschützen, oder Neid. Obwohl die Karte eher auf Angriffe von außen schließen lässt (die Stäbe, die der Person entgegenstehen), kann sie auch für unsere innere Zerrissenheit und Zweifel –möglicherweise auch als Reaktion auf die Ablehnung im Außen – stehen.
Ist dir aufgefallen, dass die Person auf der Karte zwei unterschiedliche Schuhe trägt? Ist unterwegs ein Schuh verloren oder kaputt gegangen? Vielleicht symbolisieren sie auch einfach den Ausbruch aus deiner Komfortzone. In jedem Fall sind sie ein Zeichen für deine Individualität. Du hast aus dem traditionellen Stiefel einen coolen Sneaker gemacht und trägst nun beide gleichzeitig.
Mach unbedingt weiter, stehe für dich und deine Ziele ein, halte durch – auch in den schwierigen Zeiten.

Die Sieben der Stäbe – umgekehrt

Die *Sieben der Stäbe* umgekehrt sind das, was passiert, wenn du den Shitstorm ungefiltert auf dich einprasseln lässt und verletzender Kritik, Mobbing oder Ausgrenzung zustimmst. Wenn du fälschlicherweise glaubst, dass alles Gemeine, Böse und Hämische, das über dich gesagt wird, der Wahrheit entspricht. Wenn du dich dadurch nicht mehr traust, dich zu zeigen und deine Ziele zu verfolgen. Lass das bitte nicht zu!

Wie du mit der Sieben der Stäbe Herausforderungen meisterst

1. Du hast gerade Angriff, Kritik, einen (gefühlten) Shitstorm oder krasse Hindernisse erfahren. Was du jetzt brauchst, ist Ruhe und **Trost**. Eine Zeit, um dich wieder mit dir selbst und deinen Zielen zu verbinden. Und vor allem, um über dein Warum zu reflektieren. Warum hast du dir diese Ziele gesteckt? Was treibt dich an? Was hast du bereits erreicht und wie hat sich das angefühlt? Welches positive Feedback hast du erfahren?

2. In dieser herausfordernden Phase wird es wieder Zeit für ein wenig unterstützende Edelsteinenergie. Das **Tigerauge** bietet dir Schutz gegen den bösen Blick und hilft dir, Angriffe von außen sowie depressive Gedanken von innen abzuwehren. Trag diesen goldbraunschimmernden Stein in nächster Zeit an deinem Körper, als Kette oder als Armband.

Sieben der Kelche

Jetzt ist die Zeit für:
Täuschungen erkennen, Mangelbewusstsein hinter dir lassen, auf den Boden der Tatsachen kommen, dein Konsumverhalten überdenken, deine wahren Werte finden

Obwohl diese Karte auf den ersten Blick hübsch anmutet, ist sie mit Vorsicht zu genießen. Sieben Kelche gefüllt mit prunkvollen, luxuriösen Gütern: ein Schloss, glitzernder Schmuck, ein Lorbeerkranz, eine hübsche Frau – doch aus zwei Kelchen krabbeln eine Schlange und ein Ungeheuer heraus. Bei genauerem Anschauen wird dir klar, dass es hier um Luftschlösser geht, um Träume und Wünsche ohne Substanz, all das, was aus Mangelbewusstsein entstanden ist. Die Wolken, auf denen die Kelche stehen, zeigen dir, dass es hier um eine Täuschung geht.
Die *Sieben der Kelche* steht für unangenehme, menschliche Eigenschaften: Gier, Neid, Habsucht, Oberflächlichkeit, Verführbarkeit und Realitätsfremde. Das, worauf du dich gerade fokussierst, sieht zwar auf den ersten Blick schön aus, entspricht aber nicht deinem wahren Ich. Vielleicht ist es die*der (potenzielle) Partner*in, die*der eigentlich gar nicht zu dir passt. Vielleicht versuchst du gerade, nach außen etwas darzustellen, was dir eigentlich gar nicht entspricht. Vielleicht ist deine Scheinwelt auf Social Media viel schöner als dein wahres Leben. Vielleicht suchst du auch Ablenkung von schmerzhaften Gefühlen, indem du dich in eine Traumwelt flüchtest.
Nimm die Chance wahr, die diese Karte dir reicht: Erkenne die Täuschung und sei dir gewiss, dass du auch ohne Luxusgüter und Bestätigung von Anderen ein unendlich wertvoller, wunderschöner Mensch bist.

Die Sieben der Kelche – umgekehrt

Auf dem Kopf gezogen steht diese Karte für Flucht und Verdrängung. Du gehst deinen Problemen oder Konflikten konsequent aus dem Weg. Hier passt auch der Begriff „toxische Positivität“. Gut möglich, dass du nach außen immer gut gelaunt bist, fröhlich und witzig. Mit Gefühlen wie Angst, Trauer, Neid und Wut willst du dich nicht auseinandersetzen – die gibt es für dich einfach nicht. Probleme lösen sich jedoch leider nicht auf, wenn man vor ihnen wegläuft.

Wie dir die Sieben der Kelche hilft, wieder klarzusehen

1. Hast du schon eine Ahnung, worauf dich die *Sieben der Kelche* aufmerksam machen will? Falls nicht, macht es Sinn, einmal dein **Konsumverhalten** zu überdenken. Für welche Dinge gibst du Geld aus? Wie glücklich machen dich diese Dinge? Aus welchen Gründen flüchtest du dich in Traumwelten? Ist es, um Gefühle von Leere, Einsamkeit, Trauer, Selbstzweifel oder Wut zu bekämpfen? Was spielst du dir selbst vor?

2. Nutze die Kraft des **Amethysten**. Diese wunderschönen lila-weiß schimmernden Steine fördern den klaren Durchblick und weise Entscheidungen. Ich habe ein halbes Jahr lang Tag und Nacht eine Kette mit einem Amethysten getragen. Kurz zuvor waren viele Dinge in meinem Leben passiert und ich musste mich irgendwie neu ordnen. In dieser Zeit hat mir meine Amethystkette sehr geholfen, klug zu entscheiden.

Acht der Schwerter

Jetzt ist die Zeit für:
Dich aus deinem Gedankengefängnis befreien, ins Vertrauen kommen, neue Handlungsweisen ausprobieren, Veränderung zulassen, das Unbekannte entdecken

Die Frau auf dieser Karte steht mit verbundenen Augen und gefesselten Armen inmitten von scharfen Schwertern. Wie eine Gefangene im Gefängnis ihrer eigenen Gedanken. Doch ihre Beine und Füße sind frei! Sie könnte also losgehen und sich selbst aus ihrem Gefängnis befreien. In dieser Karte liegen so wichtige Botschaften. Sie symbolisiert Ängste, Misstrauen und Selbstzweifel. Dadurch blockierst du dich selbst und deine Beziehungen zu anderen Menschen.

Die Karte kann auch für eine berufliche Situation stehen, in welcher du unzufrieden bist, jedoch nicht wagst, etwas zu ändern oder den Job zu wechseln, aus Angst, dass es noch schlimmer werden könnte. Oder für jegliche Situation, in der du dich gefangen fühlst und Hemmungen hast, jedoch nichts änderst aus Angst vor einer Verschlimmerung deiner Situation. Die Möglichkeit, dass es so viel besser werden könnte, willst du nicht sehen – aus Angst vor der Veränderung, vor dem Ungewissen, vor dem Verlust der Kontrolle.

Die Wahrheit jedoch ist, dass du dich momentan selbst klein machst in deinem selbst gezimmerten Gefängnis. Trau dich, die Augenbinde abzunehmen, um all das schöne Neue und Ungewisse zu entdecken! Konzentriere dich auf die wunderschönen Ereignisse, die du in deinem Leben haben möchtest. Sei dir sicher, dass sie die Folge sind von einem *Mindset* voller Vertrauen und Freude.

Die Acht der Schwerter – umgekehrt

Wenn du die Karte auf dem Kopf ziehst, bist du schon einen Schritt weiter. Vielleicht hast du die Entscheidung gefällt oder gar bereits erste Schritte unternommen, um eine Veränderung in Gang zu bringen oder ein klärendes zwischenmenschliches Gespräch zu suchen. Wahrscheinlich arbeitest du auch gerade an einem positiven *Mindset* oder gesunden Verhaltensweisen und hast dir vielleicht Hilfe gesucht dabei.

Wie du mit der Acht der Schwerter deine eigene Retterin wirst

Bei dieser Karte geht es immer um eine **Veränderung**, die du selbst initiierst. Hör auf damit, auf den Retter zu warten, der dich befreit, sondern nimm selbst das Zepter in die Hand. Zuallererst gilt es, genau hinzusehen (also Augenbinde ab und Augen auf): Was macht dich unglücklich in deiner gegenwärtigen Situation? Auch wenn hier schon die Angst in dir aufkeimt, die Wahrheit zu sehen, mach weiter: Was wünschst du dir? Deine Ängste dürfen da sein, sie sollen dich jedoch nicht am Leben deines besten Lebens hindern. Was ist nun der erste Schritt raus aus deinem Schwertergefängnis? Ist es ein klärendes Gespräch? Die Entscheidung, dich stärker abzugrenzen von Personen mit negativer Energie? Eine Bewerbung für einen neuen Job? Eine Änderung deiner Dating-Strategie? Ein Termin beim Arzt, Psychologen, Mentor oder Coach? Was immer es ist: Tu es!

Acht der Münzen

Jetzt ist die Zeit für:
Liebevolle Routinen integrieren, konzentriertes Arbeiten, mit Ausdauer deine Ziele verfolgen, mit Freude kreieren, mit deinen Händen etwas erschaffen

Die *Acht der Münzen* steht für das ausdauernde Arbeiten sowie das nachhaltige Verfolgen deiner Ziele. Mit vollkommener Zugewandtheit hämmert die Person auf der Karte Sterne in die goldenen Münzen. Am Baumstamm neben ihr hängen die Münzen, die sie bereits fertiggestellt hat. Sie hat schon jede Menge geschafft – ist jedoch noch nicht fertig. Und das macht auch gar nichts, denn sie strahlt in ihrer Arbeit Konzentration, Ruhe und Zufriedenheit aus.

Kennst du das? Du fängst voll freudigem Ehrgeiz etwas Neues an: einen Job, eine Weiterbildung, ein Hobby, gute Vorsätze, Sport. Dann kommt jedoch der Alltag oder es wird langweilig. Bei mir ist das zum Beispiel mit Meditieren und Yoga so. Ich liebe es, mir diese Zeit für mich zu nehmen und die positiven Auswirkungen auf meinen Körper und Geist zu spüren. Trotzdem ist es verdammt schwierig, diese Praxis regelmäßig in meinen Alltag zu integrieren.

Das Geheimnis der *Acht der Münzen* liegt im Finden von Glückseligkeit in deinem Schaffen. Wie gelingt es der Person auf der Karte, mit Freude und Fokus bei der Sache zu bleiben? Sie plant, was sie wann tut, und macht es dann. Jeden Tag, bzw. mit fester, wiederkehrender Regelmäßigkeit. Ihre Routine, die sie ganz selbstverständlich ausführt, schenkt ihr Freude und Halt.

Die Acht der Münzen – umgekehrt

Auf dem Kopf gezogen deutet diese Karte ein Motivationstief an. Obwohl du deinen Job, dein Studium, dein Projekt oder deine Beziehung eigentlich sehr magst, fühlt sich momentan alles schwer, lustlos und langweilig an. Falls es um Liebesangelegenheiten geht, fühlst du dich gerade schnell genervt von deiner*m Partner oder bist gelangweilt von eurer Beziehung.

Wie du mit der Acht der Münzen Routinen für Erfolg integrierst

1. Der Weg zu dauerhaftem Erfolg liegt in der **Routine**. Schau einmal, wo du in deinem Alltag Abläufe optimieren kannst, indem du sie immer auf die gleiche Art und Weise ausführst, zu einer festen Zeit. Kannst du ähnliche Tätigkeiten bündeln, statt sie immer wieder zwischendurch zu erledigen?
2. Die wohl liebevollste Routine, die du in deinen Alltag integrieren kannst, ist eine **Morgenroutine** für dich. Sie schenkt dir Energie für den vor dir liegenden Tag. Was bedeutet für dich ein guter Start in den Tag? Die folgenden Tätigkeiten haben sich meiner Meinung nach bewährt: sanftes Yoga, ein Spaziergang, meditieren, journaln sowie ein gesundes Frühstück. Auch, wenn du dir morgens nur begrenzt Zeit nehmen kannst, schaffst du es, mindestens eine Wohlfühlaktivität zu deiner ganz persönlichen Routine zu machen.
3. Erschaffe bewusst etwas mit deinen **Händen**. Vor allem, wenn du in deiner alltäglichen Arbeit sehr viel am Computer sitzt oder viel Kopfarbeit leistest, kann dich ein handwerklicher Ausgleich erden. Wie wär's mit Töpfern, Holzarbeit, Goldschmieden, Gärtnern oder Backen?

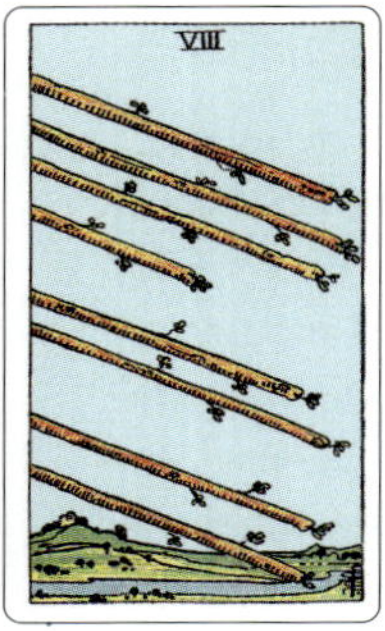

Acht der Stäbe

Jetzt ist die Zeit für:
Spontanität, deinen kreativen Impulsen folgen, einfach mal was Neues ausprobieren, verschiedene Leute kennenlernen, offen sein für Alternativen

Die *Acht der Stäbe* stehen für Neuigkeiten und neue Herangehensweisen, die du ausprobierst. Du bist gerade so proaktiv, dass einige deiner Aktionen Erfolg haben werden. Aus dieser Karte sprechen Aktion und Schnelligkeit: Die Stäbe werden alle zugleich geworfen – du siehst jedoch nicht, wer sie wirft oder wo sie landen werden. Möglicherweise fällt nicht alles, was du tust, auf fruchtbaren Boden, einige Stäbe jedoch auf jeden Fall. Anstatt also gerade ruhig abzuwarten oder alles bis ins kleinste Detail zu planen, ist es genau richtig, jetzt zu handeln. Lass dich vom Feuer mitreißen und tu das, was insgeheim vielleicht schon lange in deinem Herzen schlummert. Oder auch das, was dir gerade ganz spontan in den Sinn kommt. Jetzt ist die Zeit, um einfach mal zu machen, verschiedene, neue Strategien auszuprobieren und neugierig zu beobachten, was passiert. Die Feuerenergie, die gerade durch die Luft wirbelt, prophezeit dir, dass gute Neuigkeiten unterwegs sind.

Diese Karte ist spannend, wenn du Single bist. Sie ermutigt dich, das Daten auszukosten. Sei neugierig und offen, triff dich mit unterschiedlichen Personen. Indem du nicht all deine – vielleicht viel zu hohen Erwartungen – in eine Person setzt, wirst du herausfinden, wonach du wirklich suchst und wer zu dir passt.

Darüber hinaus feiert diese Karte alle spontanen Aktionen: Verabredungen, die nicht geplant waren, Partys, einfach eine Reise buchen, dich aus einer Laune heraus für einen neuen Job bewerben, an einem Casting teilnehmen, einen Liebesbrief verschicken oder etwas Verrücktes wagen.

Die Acht der Stäbe – umgekehrt

Diese Karte habe ich so oft gezogen, wenn es darum ging, herauszufinden, ob der Typ, den ich gerade datete (oder eher nicht, weil er sich nicht meldete), was für mich empfindet. Obwohl ich dazu rate, dem Tarot keine Ja/Nein Fragen zu stellen – die *Acht der Stäbe* umgekehrt ist ein klares Nein. Sie ist ein Hinweis darauf, dass all deine klugen Pläne, deine liebevollen Aktionen und ausgeklügelten Strategien auf das falsche Ziel(-Objekt) gerichtet sind. Frage an dich: Warum muss es gerade dieser Mensch sein? Oder gerade dieses Projekt, dieser Job? Warum versteifst du dich so auf dieses gewisse Ziel? Mach dir einen Plan B und öffne dich für all die wundervollen Alternativen!

Wie die Acht der Stäbe dir gute Neuigkeiten bringt …

Nimm die Fülle deiner **Chancen** wahr und genieße diesen Prozess. Gehe deinen natürlichen Impulsen und Eingebungen voller Entdeckergeist und Neugierde nach. Trau dich, mehrere verschiedene Dinge spontan auszuprobieren. Was ist schon das Schlimmste, was passieren kann? Ein **Hämatit** kann dich in dieser Phase wunderbar unterstützen. Dieser meist dunkelgraue Edelstein entfaltet seine volle Wirkung, wenn du ihn auf der Haut trägst, zum Beispiel als Kette oder Armband, und schenkt dir Spontanität, Freude und Mut.

Acht der Kelche

Jetzt ist die Zeit für:
Ballast abwerfen, Altes hinter dir lassen, gesunde Verhaltensweisen erlernen, Übertreibungen und Drama ein Ende setzen, deinen Herzensweg einschlagen

Während es bei der *Sieben der Kelche* darum geht, zu erkennen, womit du dich selbst täuscht, ist die *Acht der Kelche* der nächste Schritt: das Einschlagen eines neuen Weges, dich abwenden von Verhaltensweisen oder Personen, die dir schaden oder nicht mehr zu dir passen.

Die acht Kelche stehen in zwei Reihen aufgetürmt. Die Person in dem roten Gewand hat sich vom Kelchturm abgewendet und zieht hinaus. Sie hat bereits den Fluss überquert und steuert auf hohe Berge zu. Ihr Weg ist ungewiss und wird sie vor Herausforderungen stellen.

Der Kelchturm repräsentiert deine Gefühle, die dein Handeln steuern, einen Ort, an dem dein Herz hängt, oder eine Beziehung zu einem anderen Menschen. Etwas, an dem du lange gebaut und in das du viel Energie investiert hast. Es kann hier auch um Suchtverhalten und Übertreibung gehen. Du bist nun jedoch zu der Einsicht gekommen, dass es so wie bisher nicht weitergeht. Jetzt ist die Zeit für eine Trennung und dafür, neue, unbekannte Wege zu wandern.

Der Abschied fällt dir schmerzlich schwer und dennoch lässt du dich nicht aufhalten. Denn du weißt tief in dir, dass da draußen mehr auf dich wartet, dass du tiefere Zufriedenheit und Glück finden wirst. Du brichst auf, in die ungewisse Dunkelheit der Nacht, um dich auf die Suche zu begeben nach dem Kelch, der dir fehlt.

Die Acht der Kelche – umgekehrt

Du fühlst dich gerade *lost,* verwirrt und benebelt. Du weißt nicht, wo du hingehörst, fehl am Platz, wie aus einer anderen Welt – in Bezug auf dein ganzes Leben oder einen bestimmten Bereich. Deinen Weg zu finden darf sich unsicher anfühlen. Du darfst zweifeln und verschiedene Dinge ausprobieren. Welche Entscheidung du nun auch triffst – sie gehört zu dir und zu deinem Weg.

Wie du mit der Acht der Kelche einen neuen Weg einschlägst

In der Dunkelheit ist der Mond dein treuer Begleiter, wie eine liebevolle Mutter. Dieser **Vollmondzauber** hilft dir dabei, Klarheit und Selbstvertrauen für deinen neuen Weg zu finden:

Fülle ein Glas mit Wasser und stelle es beim nächsten Vollmond in das helle Licht des Mondes.

Trinke das Wasser am nächsten Morgen in kleinen Schlucken.

Spüre, wie die geballte Kraft des vollen Mondes dich durchströmt und dich auf deiner herausfordernden Reise zu deinem wahren Ich leitet und beschützt.

Neun der Schwerter

Jetzt ist die Zeit für:
Deinen Ängsten und Sorgen Luft machen, dich jemandem anvertrauen, Entspannung, Traumreisen, das Tabu von Depressionen brechen

Eine Person sitzt aufrecht im Bett, den Kopf in den Händen verborgen. Möglicherweise weint sie. Sie muss erschöpft und verzweifelt sein, von Sorgen und Ängsten geplagt. Der tiefschwarze Hintergrund symbolisiert die Dunkelheit, in der alle Sorgen gleich zehnmal so schwer wiegen. Die Dunkelheit wird durchbohrt von neun messerscharfen Schwertern. Wahrscheinlich kennst du diese Situation nur zu gut. Nachts nicht schlafen können, obwohl du das bitter nötig hättest. Deine Gedanken jedoch lassen dir keine Ruhe. (Selbst-)Zweifel, Ängste, Schuldgefühle, Sorgen um die Zukunft oder den morgigen Tag oder Wut und Frustration rauben dir den Schlaf.

Ich kann manchmal nicht schlafen, weil ich den Tag einfach nicht loslassen kann oder mit meinen Gedanken schon in der Zukunft bin. Dann zerdenke ich Erlebtes bis ins kleinste Detail und frage mich, ob ich richtig gehandelt habe. Wenn am nächsten Tag etwas Wichtiges ansteht, habe ich solche Angst, dass ich verschlafe, versage und kritisiert werde.

Lass uns stattdessen Traumszenarien kreieren! Schau dir dazu einmal die Karte genauer an. Die Bettdecke ist mit Rosen bestickt und zeigt die Symbole für die verschiedenen Planeten und Sternzeichen. Das Universum beschützt dich unter seiner warmen Decke! Stell dir einmal vor, wie du morgen einen wundervollen Tag verbringst, wie du voller Leichtigkeit und Freude diesen neuen Tag genießt.

Die Neun der Schwerter – umgekehrt

Du fühlst dich einsam, ängstlich, unendlich traurig und wertlos, wie ein Fehler im System. Vielleicht fühlst du auch gar nicht mehr so viel, sondern nimmst eine unendliche Leere und Erschöpfung wahr. Du denkst, dass du an allem selbst schuld bist. Den Kontakt zu deinen Freunden und Familie hast du eingeschränkt, weil du glaubst, dass sie dich sowieso nicht verstehen und du nur eine Last bist. Ich kenne all diese Gefühle und Gedanken, weil ich sie selbst erlebt habe. Depressionen sind eine Krankheit, die jeden treffen kann, ebenso wie sich jeder ein Bein brechen kann. Die Webseite der Deutschen Depressionshilfe enthält viele nützliche Informationen und eine kostenlose Telefonnummer, unter der du dich beraten lassen kannst. Ich schicke dir ganz viel Liebe und Kraft in dieser schwierigen Zeit, du wundervoller, unverwechselbarer Mensch!

Wie du die Neun der Schwerter-Energie überwindest

1. Bevor du ins Bett gehst, lüfte dein Schlafzimmer für ein paar Minuten, um eine frische **Universumsbrise** für schöne Träume hineinzulassen. Setz dich auf dein Bett, schließe deine Augen und atme tief ein und aus. Stell dir vor, wie die Luft deine Gedankenwelt klärt und mit Leichtigkeit erfüllt. Wenn du belastende Gedanken wahrnimmst, schreib sie auf. Das hilft dir dabei, die Gedanken und den Tag loszulassen.
2. Nutze die entspannende Wirkung von **Einschlafmärchen**, Traumreisen und **Schlafmeditationen**, um in den Schlaf zu finden.
3. Wenn du deine Ängste und Sorgen allein nicht überwindest, vertraue dich unbedingt jemandem an. Über deine **Gefühle** und Gedanken **reden** hilft dir, dich unmittelbar besser zu fühlen.

Neun der Münzen

Jetzt ist die Zeit für:
Dir selbst alles schenken, was du brauchst, Selbstvertrauen, Self-Care, Strenge loslassen, stolz sein auf alles, was du bereits gemeistert hast

Die *Neun der Münzen* symbolisiert die Selbstfürsorge. „*Behandle dich selbst so liebevoll wie die Personen, die du am meisten schätzt*", ist die Botschaft, die diese Karte dir sendet. Ich nenne sie darum auch die Happy-Single-Karte. Ob du nun Single bist oder nicht, diese Karte zeigt dir, wie du dir selbst alles geben kannst, was du brauchst, und so tiefe Zufriedenheit erlangst.

Eine Dame in einem prächtigen Gewand steht vor üppig wachsenden Weinreben, die das Burgunderrot ihrer Kleidung widerspiegeln. An den Weinstöcken wachsen neun goldglänzende Münzen, die sie mit ihrer rechten Hand berührt. All dies weist darauf hin, dass diese Frau sich selbst ihren Erfolg und ihr Wachstum hart erarbeitet hat. Nun ist die Reifezeit gekommen, in der sie die Früchte ihrer Bemühungen ernten kann. Sie wirkt anmutig und bedacht, während sie den Vogel, der auf ihrer linken Hand sitzt, fokussiert. Ihre Erfolge geben ihr Kraft und Selbstbewusstsein. Alles, was sie sich bisher aufgebaut hat (die Münzen, die Trauben, das Schloss im Hintergrund), schenkt ihr Sicherheit. Hast du die kleine Schnecke am Boden entdeckt? Diese Lady weiß, dass Ausdauer sie zum Ziel führt und dass die Dinge manchmal nur langsam voranschreiten.

Diese Karte spiegelt dir, wie hart du gearbeitet hast und welche Wunder du erschaffen hast. Es ist bewundernswert, mit welcher Kraft, Ausdauer und Konzentration du dein Ziel verfolgst.

Die Neun der Münzen – umgekehrt

Du bist definitiv zu streng mit dir und übertreibst es mit deinem Ehrgeiz. Noch bevor ein Ziel erreicht ist, wartet schon das nächste. Es muss immer noch mehr, noch besser sein. Deine persönlichen Beziehungen leiden unter deinem Arbeitseifer. Woher kommt der Glaubenssatz, dass du immer noch härter arbeiten musst und noch mehr erreichen willst? Schalte einen Gang zurück, nimm dir Zeit, zu reflektieren und dankbar auf all das zu schauen, was du bereits erreicht hast.

Wie du mit der Neun der Münzen richtig gut für dich sorgst

1. Finde **Antworten** auf die folgenden Fragen: In welchen Situationen bist du zu hart zu dir selbst? Was verbietest du dir? Warum? Wann sprichst du streng, vielleicht gar gemein und strafend mit dir selbst? Wo bist du zu sparsam und gönnst dir selbst nicht dieses kleine bisschen Luxus, das du dir insgeheim wünschst? Wo kannst du mehr in den Genuss kommen?

2. Schreib deine **Selfcare-Top-List**, auf der du mindestens neun Aktivitäten notierst, die dich so richtig wohlfühlen lassen. Sieh dir diese Liste einmal wöchentlich an und plane für die kommende Woche mindestens eine der Aktivitäten auf der Liste.

Neun der Stäbe

Jetzt ist die Zeit für:
Deinem Bauchgefühl vertrauen, gesunde Vorsicht, dich von Neidern abgrenzen, dich mit Feel-Good-Menschen umgeben, kraftvolle Glaubenssätze manifestieren

Diese Karte ist geprägt von Vorsicht. Der Mann blickt verstohlen zur Seite und scheint achtsam nach verdächtigen Geräuschen zu lauschen. Um seinen Kopf ist ein Verband gewickelt und er klammert sich an den Stab, auf dem er sich abstützt. Hinter ihm steht eine Mauer aus acht Stäben. Was mag diesem Mann widerfahren sein? Vielleicht bist du auf dem leidenschaftlichen Weg deines Herzens auf Gegenwind gestoßen, auf Kritik, auf Hindernisse, Rückschläge oder Angriffe. Dein anfängliches, hoffnungsvolles Feuer ist verpufft und du fühlst dich frustriert, verletzt und ängstlich, vielleicht einsam und verzweifelt. Nun bist du vorsichtiger geworden, überlegter, misstrauischer – du versuchst, dir eine Festung zum Schutz zu bauen. Immer, wenn du dich weiterentwickelst, gefällt das nicht jedem. Gut möglich, dass es Menschen gibt, die neidisch und missgünstig sind, auch wenn sie dir dies nicht offen zeigen. Manchmal andererseits schaukeln sich Konflikte mit geliebten Menschen hoch, weil wir nicht offen und konstruktiv darüber reden können, was uns verletzt. Dann ist es an der Zeit, neue Kommunikationsmuster zu entwickeln.

Die Neun der Stäbe – umgekehrt

Auf dem Kopf liegend deutet diese Karte an, dass du wegen einer Verletzung eine zu hohe Mauer um dich gezogen hast. Es scheint, als seist du allzeit auf mögliche Angriffe vorbereitet. Nun ist die Zeit gekommen, in der du wieder mehr ins Vertrauen kommen darfst.

Wie du mit der Neun der Stäbe Herausforderungen überwindest

1. In Konfliktsituationen mit anderen Menschen gelassen zu reagieren und zu kommunizieren, ist ganz schön schwierig. Es hilft dir, wenn du in solchen Situationen die **Formel der gewaltfreien Kommunikation** (von Marshall B. Rosenberg) anwendest: Beschreibe zunächst ohne Bewertung das Verhalten der anderen Person, das dich stört (A). Benenne dann, wie du dich dadurch fühlst (B). Leite dann dein Bedürfnis aus deinem Gefühl ab – was wünschst du dir (C)? Schließe deine Aussage mit einer Bitte nach einer konkreten Handlung ab (D). Zum Beispiel: Du hast das Gefühl, dass du einer Freundin nicht vertrauen kannst, weil du denkst, dass sie hinter deinem Rücken schlecht über dich redet. Du könntest mit Hilfe dieser Formel sagen: „Ich habe gesehen, wie du gestern mit XY getuschelt hast und ihr lachend in meine Richtung geschaut habt (A). Das macht mich unsicher und traurig (B). Denn ich wünsche mir Vertrauen in unserer Freundschaft (C). Könntest du das Tuscheln unterlassen oder mich aufklären, worüber ihr lacht?"
2. Deine **Zauberkerze** aktiviert dein inneres Feuer neu: Du brauchst Kerzenreste oder Wachsplatten in deiner Lieblingsfarbe, Glitzer zum Streuen (das fördert die Kommunikation), einen Docht, ein sauberes Marmeladenglas, eine leere Blechdose und einen Docht. Lege das Wachs in die Blechdose und bringe es im Wasserbad zum Schmelzen. Fülle das geschmolzene Wachs in das Glas, streue den Glitzer darauf und rühre neun Mal durch. Füge nun den Docht hinzu. Lass die Kerze abkühlen, streue ein wenig Glitzer von oben auf die erhärtete Kerze sowie mit Klebstoff auf den Rand des Glases. Zünde deine Kerze von nun an immer dann an, wenn dich Hindernisse, Kritik und Unsicherheit ereilen.

Neun der Kelche

Jetzt ist die Zeit für:
Dankbar die Wunder in deinem Leben anerkennen, Fehler als Geschenke sehen, deine Träume mit der Kraft deiner Gedanken manifestieren, Zufriedenheit, Meditationen

Herzlichen Glückwunsch! Du hast die Wünsch-dir-was-Karte gezogen. Was wünschst du dir aus tiefstem Herzen? Trau dich, an die Erfüllung deines Wunsches zu glauben. Schließe die Augen und stell dir vor, dein Wunsch sei bereits in Erfüllung gegangen. Was siehst du? Wie fühlst du dich? Du wirst von nun an deines eigenen Glückes Schmied sein, indem du anfängst, an deine Träume zu glauben.

Sieh dir einmal den Menschen auf der Karte an. Mit seiner Haltung erinnert er mich ein wenig an Buddha. Er sitzt aufrecht auf einer einfachen Bank, die Füße stehen fest auf dem Boden, die Hände sind locker unter der Brust verschränkt. Seine Mundwinkel zeigen nach oben. Dieser Mensch strahlt Zufriedenheit aus. Und das, obwohl er ganz allein ist und gar nichts macht. Hier liegt der Schlüssel: Er ist glücklich, weil er gerade nichts tut und die Zeit mit sich selbst genießt. Er hält inne und nimmt sich somit den Raum, alles Wundervolle, das bereits in seinem Leben ist, zu würdigen. Das ist eine ganze Menge: Neun goldene Kelche stehen auf einem Altar aufgebaut hinter ihm und erhellen mit ihrer Strahlkraft alles um ihn herum. Diese Kelche symbolisieren keineswegs nur materielle Besitztümer, sondern auch Erfahrungen und wertvolle, wichtige Beziehungen. Aus der Dankbarkeit für all diese wunderschönen Kelche schöpft er Kraft, Lebensfreude und Vertrauen.

Die Neun der Kelche – umgekehrt

Kennst du Leute, die gefühlt alles haben, aber trotzdem nur klagen? Sie sehen nicht all das Schöne, weil sie sich immer nur darauf konzentrieren, was sie gerade nicht haben. Vielleicht erkennst du dieses Gefühl bei dir selbst. Es entsteht häufig dann, wenn du dich mit Anderen vergleichst oder dich auf das Anhäufen von materiellen Dingen fixierst. Wenn du in diesem Modus bist, kannst du nicht genießen und wertschätzen, was du in diesem Moment bereits hast. Undankbarkeit ist wie Gift für deinen Körper und Geist.

Wie du mit der Neun der Kelche tiefe Zufriedenheit verspürst

Nutze die magische Zauberkraft von Tagträumen und **Mini-Meditationen**, indem du sie in deinen Alltag einbaust. Ein festes Ritual hilft dir, dich regelmäßig mit deinen Träumen und deiner Dankbarkeit zu verbinden. Du kannst aber auch immer dann einen Tagtraum nutzen, wenn du mal ein paar Minuten für dich hast, wenn du kurz eine Pause brauchst von der Arbeit und besonders, wenn du merkst, dass deine Unsicherheit gerade zunimmt. Schließe die Augen und denke an deinen Wunsch. Stelle dir vor, wie er bereits Wirklichkeit ist. Sieh dich, wie du begeistert und beschwingt bist, voller Liebe, voller Energie. Sieh nun vor deinem inneren Auge auf all das Schöne, was bereits da ist in deinem heutigen Leben. Schwelge im Gefühl der dankbaren Zufriedenheit. Sage dann, leise oder laut: *Ich vertraue darauf, dass mein Wunsch wahr ist. Das Universum unterstützt mich bei der Erfüllung meiner Träume. Ich bin dankbar für all das Wundervolle, das bereits in mir und in meinem Leben ist. Ich bin glücklich und erfüllt.*

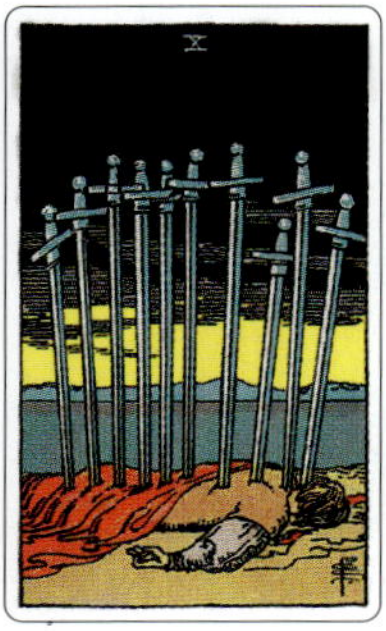

Zehn der Schwerter

Jetzt ist die Zeit für:
Deinem Schmerz Raum geben, dir Zeit nehmen für deine Heilung, durch eine Niederlage wachsen, Unterstützung annehmen, neue Chancen erkennen

Ein Mann liegt am Boden. Sein Körper ist von oben bis unten von Schwertern durchbohrt. Diese Karte drückt einen tiefen Schmerz aus, den du in allen Gliedmaßen deines Körpers fühlst. Die totale Erschöpfung. Eine tiefe Niederlage, die dich zu Boden gezwungen hat. Eine Trennung, eine Kündigung oder eine Krankheit könnten der Grund für deinen Zustand sein. Möglicherweise hast du alle Vorzeichen ignoriert und dir eingeredet, dass schon alles gut werden wird. Nun treffen dich die kalten, spitzen Schwerter mit voller Wucht in den Rücken.

Der erste Schritt ist es nun, den Schmerz anzunehmen. Du darfst dich fucking erschöpft und traurig fühlen. Schmerz gehört zum Leben dazu, denn er bietet dir die Chance zum Lernen und zur positiven Veränderung. Wenn du dich verletzlich zeigst, wirst du ohne Zweifel auch Unterstützung und Mitgefühl von lieben Menschen in deinem Umfeld erfahren. Schau dir die Karte noch einmal genauer an: Entdeckst du das strahlend gelbe Licht am Horizont? Das wartet auf dich!

Ich habe mich nach meiner Fehlgeburt so gefühlt wie der Mann auf dieser Karte. Völlig am Boden zerstört, alles in mir schmerzte und meine Zukunftspläne waren mit einem Mal zerschmettert. Und auch, wenn die Zeit vor der Fehlgeburt voller körperlichem und psychischem Stress war, hatte ich in keinem einzigen Moment vorher darüber nachgedacht, dass mir so etwas passieren könnte. Je mehr ich jedoch über Fehlgeburten las, desto deutlicher wurde mir, dass dieses Schicksal vielen Frauen widerfährt. Ich fühlte mich dadurch weniger unnormal und allein. Das Verständnis und die Unterstützung der lieben Menschen um mich herum half mir beim Wieder-vom-Boden-Aufstehen. Mein Hausarzt schenkte mir eine Erklärung für das „Warum" meiner Fehlgeburt: „Ihr Körper braucht die Energie nach allem, was Ihnen passiert ist, für sich. Er hat das Baby verabschiedet, um Sie zu schützen." So konnte ich akzeptieren, dass das Geschehene – so schrecklich, unerwartet und schmerzhaft es auch war –für mich passiert ist.

Die Zehn der Schwerter – umgekehrt

Die tiefe Verletzung, die du erfahren hast, ist schon länger her. Trotzdem sitzt der Schmerz noch tief; vielleicht hat er sich in körperlichen Symptomen manifestiert. Trau dich, dir deine Verletzung noch einmal anzuschauen. Wie steht sie in Verbindung mit deinem heutigen Leiden?

Wie du den Schmerz der Zehn Schwerter erkennst und überwindest

Verabrede dich bewusst mit deinem Schmerz. Dadurch gibst du dir Zeit zum Trauern, **Verarbeiten** und Akzeptieren. Plane regelmäßige Schmerz-Dates. Wie sollen diese Verabredungen aussehen? Möchtest du schreien, weinen, auf ein Kissen schlagen oder deine Gedanken niederschreiben? Alles, mit dem du dir selbst und Anderen keinen Schaden zufügst, ist in Ordnung. Begrenze deine Schmerz-Dates, indem du danach etwas anderes planst: ein Hobby, eine Wellness Aktivität, Bewegung, eine Verabredung mit einem lieben Menschen. Das hilft dir, den Fokus auf die zahlreichen schönen Dinge in deinem Leben zu richten.

Zehn der Münzen

Jetzt ist die Zeit für:
Familienfeste, Traditionen, das Miteinander bewusst zelebrieren, deine Werte reflektieren, magischen Zusammenhalt

Diese Karte verkörpert festliche Zusammenkünfte mit Menschen, die dir sehr am Herzen liegen. Sie steht für das Miteinander. Für das gemeinsame Erleben von Freude, Dankbarkeit und Fülle. In dieser Karte sind alle Familiengenerationen vertreten: der ältere Mann, die beiden Erwachsenen und das Kind. Die beiden Hunde drücken darüber hinaus Schutz, Treue und Vertrauen aus. Die 10 Münzen, die sich über die gesamte Karte verteilen, sagen dir: *Besser geht's nicht. Ihr habt gemeinsam alles, was ihr euch wünschen könnt. Kommt zusammen und schenkt euch echte Aufmerksamkeit, um euch dessen bewusst zu werden.*

Seit ich denken kann, bin ich ein großer Weihnachtsfan. Als Kind liebte ich den magischen Zauber rund um das Christkind: das Wünschen, das Warten und letztendlich das freudige Auspacken der Geschenke unterm Baum. Das Allerschönste war jedoch immer der Moment, als meine drei Geschwister und ich gemeinsam auf das Klingeln der Glocke warteten, die andeutete, dass das Christkind da gewesen war. Meine beiden älteren Geschwister wussten längst, dass meine Mutter die Geschenke unter den Baum legte, spielten jedoch perfekt mit, um die Illusion für meinen kleinen Bruder und mich aufrechtzuerhalten.

Diese Karte möchte dir sagen, dass nichts auf der Welt wertvoller ist als gemeinsame Zeit. Ganz egal, wie arm oder reich deine Familie ist – gemeinsam lachen, einander zuhören und

Zuneigung ausdrücken, machen den wahren Wohlstand aus. Was nützt dir all das Geld, wenn du im Gegenzug einsam und allein bist?

Die Zehn der Münzen – umgekehrt

Du willst nichts lieber als das Gefühl tiefster Verbundenheit mit anderen Menschen. Doch leider verbringst du zu wenig echte Zeit mit deiner Familie oder Freunden. Du bist irgendwie rastlos, immer auf dem Sprung, immer mit einem Blick auf deinem Smartphone – es könnte sich ja noch etwas Spannenderes auftun. Leider verpasst du genau durch dieses Verhalten das, was du eigentlich suchst.

Wie du mit der Zehn der Münzen echten Zusammenhalt erfährst

1. Echtes Zusammensein und Verbundenheit kann nur stattfinden, wenn ihr Ablenkungen aussperrt. Euer gemeinsamer Moment zählt jetzt und da haben Smartphones, Tablets, Fernseher und Arbeit nichts zu suchen. Trefft eine klare Vereinbarung, stellt Regeln auf, macht es zu eurem gemeinsamen Wert, dass diese Störfaktoren nichts dabei zu suchen haben, wenn ihr euer **Miteinander zelebriert**. Vielleicht hast du ja Lust, bei dem nächsten Zusammentreffen mit deinen Freunden oder deiner Familie eine festliche Atmosphäre zu kreieren mit einem gedeckten Tisch, passender Dekoration, Kerzenlicht...
2. Diese Karte lädt dich dazu ein, bewusst über die **Werte** und Traditionen zu reflektieren, die du von Zuhause mitbekommen hast oder die du in deiner eigenen Familie lebst. Welche Grundsätze sind dir/euch wichtig? Welche Bräuche magst du?

Zehn der Stäbe

Jetzt ist die Zeit für:
Aufgaben delegieren, Lasten loswerden, deine Ansprüche an dich selbst runterschrauben, um Hilfe bitten, erkennen, was du selbst verändern kannst

Fühlst du dich vom Leben überfordert? So, als ob du eine große Last mit dir herumträgst, unter der du jeden Moment zusammenzubrechen drohst? Genau darum geht es bei dieser Karte. Der Mann trägt ein Bündel von 10 Stäben und es ist absehbar, dass er diese nicht mehr lange halten kann.
Wofür könnten diese Stäbe stehen? Für Verantwortung, Verpflichtungen und Stress im beruflichen oder privaten Bereich? Für Erwartungen, die die Außenwelt an ihn stellt? Was es auch ist, ihm wird spätestens jetzt klar, dass er so nicht weitermachen kann. Erkennst du dich in diesem Mann wieder?
Das Gute an dieser Karte ist, dass sie das Ende eines Zyklus kennzeichnet und damit Raum schafft für einen Neubeginn. Wie groß die Last auch ist, du hast erkannt, dass sie dir nicht guttut und dass die Zeit für Veränderungen gekommen ist. Nun kannst du deine Lasten anpacken und aufräumen. Die feurige Stäbe-Energie der Karte schenkt dir Kraft, Selbstvertrauen und einen starken Willen, um dein Vorhaben zu einem guten Abschluss zu bringen. Der Zauberschlüssel lautet außerdem: Hilfe. Mach kenntlich, dass du Unterstützung brauchst und dass du diese Last nicht allein stemmen kannst!

Die Zehn der Stäbe – umgekehrt

Umgekehrt symbolisiert diese Karte Resignation, Erschöpfung, Überarbeitung, bis hin zum Burn-Out. Du hast weitergemacht, angetrieben von deinem Eifer, deiner Leidenschaft und dem Gefühl, alles allein schaffen zu müssen. Sieh deinen Zustand als Chance, dich besser um dich zu kümmern. Dein Körper hat die Notbremse gezogen, damit du endlich wieder zu dir finden kannst.

Wie du mit der Zehn der Stäbe Step by Step deine Lasten loslässt

Identifiziere all die Dinge, die dich belasten. Stell dir vor, dass jeder der 10 Stäbe für eine Last, die du mit dir trägst, steht. Mittlerweile hast du mit Sicherheit schon ein paar Ideen, was du nicht mehr tragen willst, und wie du dich von deinen **Lasten freimachen** kannst. Möglicherweise stehen auch Probleme auf deiner Liste, für die du noch keine Lösungsansätze hast. Fang an, Schritt für Schritt deine Stäbe abzuarbeiten. Welchen der Stäbe kannst du einfach loswerden? Fang hier an. Für welche Stäbe hast du keinen Lösungsansatz? Such dir für diesen Unterstützung. Kannst du möglicherweise Aufgaben delegieren? Oder jemanden um Rat bitten? Es ist verrückt, aber oft verkleinert sich eine Last schon enorm, wenn man darüber spricht und sie somit sozusagen teilt. Überleg mal, bist du vielleicht erst in eine Zehn-der-Stäbe-Situation geraten, weil du ungern um Hilfe bittest oder du es schwierig findest, über deine Probleme zu sprechen? Wenn du diese Frage mit ja beantworten kannst, suche dir nun aus deiner Liste mindestens eine Last aus, über die du mit jemandem sprichst.

Zehn der Kelche

Jetzt ist die Zeit für:
Herausfinden, welches Leben dich erfüllt, Freude in Alltagsmomenten finden, an dein Liebesglück glauben, Hollywood Idealvorstellungen verabschieden

Die *Happy-ever-after*-Karte. Ein Paar steht Arm in Arm. Neben ihnen tanzen vergnügt zwei Kinder. Vor ihnen liegt ihr Häuschen im Grünen am nährenden Fluss. Über allem erstrahlt ein bunter Regenbogen, in welchem die 10 goldenen Kelche leuchten. So ein wunderschönes Bild! Diese Karte repräsentiert das, wonach wir wohl alle streben: Glück, Zufriedenheit, Harmonie und Liebe. Heiraten, eine Familie gründen, ein Eigenheim – für erstaunlich viele von uns ist das der Lebenstraum. Auch, wenn es nicht dein Traum ist oder du gerade in einer anderen Lebensphase bist, hat sich glücklich zu fühlen ganz viel damit zu tun, mit seinen Liebsten eine unbeschwerte Zeit zu verbringen. Geborgenheit, Vertrauen und sich zu Hause fühlen.

Diese Karte will dir sagen, dass du es verdienst, glücklich zu sein und bedingungslos geliebt zu werden und vielleicht erkennst du gerade, wie sich das in deinem Leben schon manifestiert hat. Sie ermutigt dich, an dein eigenes Glück zu glauben, an die erfüllte Beziehung, die eigene Familie und das Häuschen. Auch wenn du momentan Single bist und sich all dies weit entfernt anfühlt. Die Zehn der Kelche erinnert uns an unsere Wertvorstellungen. Die eigene Familie gründen als Idealbild – das spiegelt das menschliche Grundbedürfnis nach Verbundenheit. Wenn du also diesen Wunsch verspürst, ist es sinnvoll, ehrlich zu reflektieren, was du dir davon versprichst und welche Hollywood-Idealvorstellungen du möglicherweise damit verbindest. Sind es wirklich deine Werte oder glaubst du, dass es so sein muss, weil Andere in deinem

Umfeld so leben? Diese Karte möchte dir außerdem sagen, dass es unmöglich ist, kontinuierlich glücklich zu sein. Das Leben wird dir immer wieder neue Herausforderungen bieten, wodurch du dich beizeiten überfordert, unzufrieden oder verzweifelt fühlen wirst. Und das ist gut so. Ein dauerhaftes Leben im Happy End-Modus würde nämlich schnell langweilig werden.

Die Zehn der Kelche – umgekehrt

Du bist ganz nah dran an der Erfüllung deines persönlichen Wunders. Es geht jetzt darum, herauszufinden, welche eine Sache dich noch daran hindert. Traust du dich noch nicht so richtig, deine Wünsche und Bedürfnisse offen zu kommunizieren?

Wie du mit der Zehn der Kelche Glück manifestierst

1. Mach dir erst einmal bewusst, was **Glück** für dich bedeutet. Was macht dich glücklich? Was tust du dann, mit wem bist du zusammen, wo hältst du dich auf?
2. Nimm einen glücklichen Moment bewusst wahr und halte das Bild, das Gefühl in deiner Erinnerung fest. Vielleicht möchtest du Fotos von glücklichen Momenten aufhängen oder auf deinem Handy mit dir tragen. Das nächste Mal, wenn du dich down fühlst, erinnere dich an diesen **Glücksmoment**. Mach dir eine Backup-Liste mit Dingen, die du direkt tun kannst, um dich ein Stückchen glücklicher zu fühlen.
3. Trau dich, dir Gedanken über deine **Zukunft** in Bezug auf Partnerschaft und Familie zu machen und Wünsche zu formulieren. Wie und wo möchtest du gerne leben? Warum möchtest du heiraten bzw. nicht heiraten? Warum hast du geheiratet? Welche Rolle spielen Kinder in deinem Leben?

Page der Schwerter

Jetzt ist die Zeit für:
Unverblümt sagen, was du denkst, über deinen Schatten springen, Flirten, eine spontane Einladung, dich mit deinen Visionen verbinden

Dieser Page hat gerade erst das Geschenk seiner Worte, der Kommunikation, in seine Hände erhalten, welches durch das Schwert symbolisiert wird. Er weiß noch nicht so recht, wie er am besten damit umgehen soll. Kindlich wie er ist, probiert er es aus, ohne lange darüber nachzudenken. Die unschuldige Luftenergie weht mit Leichtigkeit durch diese Karte und lässt das Haar des Pagen im Winde flattern. Mit seinen gelben Strumpfhosen und seinen roten Stiefeln strahlt der Page Hoffnung, Optimismus und Entschlossenheit aus: *Ich sage, was ich denke – was soll schon groß passieren?*
Genau hier liegt die Schönheit in dieser Karte: Wenn du ohne Angst wärest, was Andere über dich denken würden, was würdest du sagen? Wie würdest du deine Wahrheit sprechen? Mit wem würdest du in Kontakt treten? Eine tolle Energie, um über deinen eigenen Schatten zu springen und die Dinge zu äußern, die du denkst. Ebenso, um mit Leichtigkeit zu flirten, auf neue Menschen zuzugehen oder bestehende oberflächliche Kontakte zu intensivieren. Nimm das magische Schwert des Pagen in deine Hände, entdecke neugierig die Menschen um dich herum und äußere deine Meinung frei!

Der Page der Schwerter – umgekehrt

Worte können verletzen. Diese Lektion hat der Page noch nicht gelernt, was sich in der umgekehrten Karte zeigt. Ehrlich sein, die eigene Meinung äußern, direkt und unverblümt sagen, was Sache ist – heißt nicht, dass du zu allem ungefragt deinen Senf dazugeben oder alles kommentieren musst. Manchmal kann Ehrlichkeit und Direktheit auch andere Menschen verletzen. Die Kunst ist nun, Taktgefühl zu entwickeln und die Dinge zu kommunizieren, die dir am Herzen liegen.

Wie du mit der Leichtigkeit des Pagen der Schwerter kommunizierst

1. Gehe an einem windigen Tag nach draußen und suche dir einen Ort in der Natur, an dem du in die **Weite blicken** kannst. Während du auf all das schaust, was vor dir liegt, spüre die frische Brise, die deinen Kopf umspielt. Bitte den Wind, dir beim Ordnen deiner Gedanken zu helfen, gute Entscheidungen zu treffen und klare Visionen zu formulieren.

2. Verbinde dich mit deinen **Visionen** und Idealen und versuche, deine Botschaften positiv zu kommunizieren. Damit meine ich, dass du vorwurfsvolle Diskussionen lieber vermeidest, sondern schaust, wie du in die Verbindung und Zusammenarbeit mit anderen Menschen kommst. Was haben Andere davon, wenn sie dir zuhören und dich in deinen Visionen unterstützen?

Page der Münzen

Jetzt ist die Zeit für:
Commitment,
volle Konzentration auf deine Werte,
Mehrwert kreieren,
im Flow sein, lernen

Der *Page der Münzen* weiß, was er will, und widmet sich voller Faszination seinem Ziel. Er hält die goldene Münze behutsam mit beiden Händen fest und hat einzig und allein Augen für sie. Um ihn herum strahlt die Luft gelb-golden. Das verheißt Erfolg und Glück. Der Page erreicht dies dadurch, dass er sich auf die Verbindung mit seinen Werten konzentriert und damit etwas Wertvolles für die Welt erschafft. Der Page ist jung, was bedeutet, dass er bereit ist zu lernen. Trotz mangelnder Erfahrung steht er mit beiden Beinen auf dem Boden und lässt sich unter keinen Umständen von seinem Ziel abbringen.

Ich finde diese Karte so beeindruckend, weil sie genau das abbildet, woran es mir häufig mangelt: totales *Commitment* und Konzentration für und auf diese eine Sache, die gerade am wichtigsten ist. Zu verführerisch sind all die Ablenkungen im Außen, ebenso wie die Ambitionen, viele verschiedene Dinge gleichzeitig zu schaffen. Noch eben das Handy checken. Noch schnell die Freundin zurückrufen. So viel wie möglich aus einem Tag rausholen. Der Page scheint diese Gedanken nicht zu kennen oder aber den ganzen Ablenkungen gekonnt aus dem Weg zu gehen.

Verliebe dich in dein Ziel, genieße das, was du dafür tun musst, und hab eine wundervolle, erfüllte Zeit! Dann fühlt sich dein Tun nicht an wie Arbeit, sondern als ob Leichtigkeit und Liebe dich zu deinem Ziel tragen.

Der Page der Münzen – umgekehrt

Du verzettelst dich, kannst dich nicht entscheiden, dir fällt es schwer, Prioritäten zu setzen. Das kostet unfassbar viel Energie und ist auch anstrengend für deine Umgebung.

Wie du mit dem Pagen der Münzen deinen Fokus findest

1. Das erste Erfolgsgeheimnis ist der **Fokus**. Mache diese eine Sache, die dir so wahnsinnig wichtig ist, zu deiner Priorität und richte deinen Tag danach aus. Stelle Störfaktoren (Handy, Medien, eventuell andere Leute) ab. Das heißt nicht, dass du kein soziales Leben mehr haben sollst. Nur für die Zeit, die du deinem Herzensprojekt widmest, wird es dir helfen, wenn du die möglichen Ablenkungen minimierst.

2. Das zweite Geheimnis dieser Karte liegt in der Balance und **Erdung**. Bei disziplinierter, fokussierter Arbeit sind nährende Pausen, gesundes Essen und ausreichend Schlaf besonders wichtig. Letztendlich geht es ja auch darum, dass du deine Arbeit genießt. Suche die Nähe zur Natur, um wieder neue Energie zu tanken. Auch wenn du dich momentan so head over heels fühlst, dass du gar nicht mehr weißt, was du eigentlich willst, ist das der erste Schritt, den du gehen solltest. Ein langsamer, achtsamer Spaziergang im grünen Wald (ohne Smartphone!) schenkt dir nun die Ruhe und Erholung, die du brauchst.

3. Das dritte und letzte Geheimnis dieses Pagen ist seine Neugier und **Lernbereitschaft**. Sei offen für Neues und bereit, dich weiterzuentwickeln. Deine magische Reise hat gerade erst begonnen.

Page der Stäbe

Jetzt ist die Zeit für:
Grenzenlose Kreativität, ein neues Hobby, Abenteuer erleben, Leichtmut, deinen Ideen Raum schenken

Dieser Page ist verliebt in seine Kreativität und Schaffensfreude. Voller Hingabe erkennt er das Geschenk seines feurigen Ideenreichtums – den Stab in seiner Hand. Seine orangefarbenen Strumpfhosen verkörpern seinen Leichtmut und Optimismus, die Feuersalamander auf seinem Gewand symbolisieren die Fülle der Möglichkeiten und seinen Wagemut. Er denkt nicht lange über mögliche Risiken nach, sondern probiert sich einfach aus. Diese Karte ermutigt dich, dich bewusst mit deinen wundervollen Ideen zu verbinden und dich schöpferisch, kreativ oder sportlich zu betätigen. Spüre die feurige Lebendigkeit, während du dich mit Leidenschaft einer Aktivität hingibst! Vielleicht möchtest du schon lange ein neues Hobby ausprobieren – jetzt ist die Zeit dafür. Neue Impulse und Ideen kommen auf dich zu. Vielleicht steckst du voller Tatendrang und bist schnell Feuer und Flamme für neue Projekte – mir geht es ganz genauso. Als Jugendliche hatte ich immer wechselnde Hobbys und Nebenjobs. Mittlerweile bin ich beständiger geworden in meinen Entscheidungen und der Verwirklichung meiner Ideen.
In Bezug auf dein Liebesleben lädt der Page dich ein, spielerisch Neues zu wagen. Wenn du Single bist, bist du momentan womöglich nicht bereit für eine feste Bindung, kannst aber beim Dating viel lernen und Spaß haben. Verbinde dich dabei immer wieder mit deinem Gefühl: Fühlt es sich richtig an?

Der Page der Stäbe – umgekehrt

Du siehst gerade nur die Spaßseite des Lebens und jagst Abenteuern nach. Dadurch ignorierst du gekonnt alle Risiken und ernsthaften Konsequenzen. Wieso scheust du dich davor, Verantwortung zu übernehmen?

Wie du den Abenteuergeist des Pagen der Stäbe in dein Leben ziehst

1. Vielleicht bist du im Alltagstrott gefangen und folgst deinen kreativen **Eingebungen** nicht. Deine Ideen landen stattdessen in Schubladen: *Kann ich eh nicht, bin ich zu alt für, das ist doch total verrückt, keine Zeit,* usw. Welche Idee verfolgt dich? Welcher Gedanke, den du immer wieder wegschiebst, bleibt? Irgendetwas Verrücktes, das du dich trauen willst? Gehe beim nächsten Sonnenaufgang raus und lass deine Idee von der magischen Energie des frühen Morgens beflügeln.

2. Hier eine kleine *Bucket List* mit Aktivitäten, die du unternehmen kannst, um mehr **Abenteuer** zu verspüren: unterm Sternenhimmel schlafen, Zelten, an einen Ort fahren, den du noch nicht kennst, Trampolin springen, auf einem Spielplatz aufs hohe Klettergerüst oder auf einen Berg klettern, neue Leute beim Dinner kennenlernen, beim Speed Dating mitmachen, Couchsurfing, einen Roadtrip machen.
Welche wählst du?

Page der Kelche

Jetzt ist die Zeit für:
Deine Gefühle ernst nehmen, auch „negative" Gefühle akzeptieren, schöpferische Tätigkeiten, Weltschmerz transformieren, Liebe verbreiten

Aufmerksam wendet sich dieser Page dem Geschenk in seiner Hand zu – ein goldener Kelch, aus dem ein Fisch herausspringt. Der Fisch ist ein Symbol für das, was im Verborgenen liegt und doch da ist. Der hin und wieder wie ein äußerer Impuls aufploppt und dir sagt: *Get creative!* Der Hut des Pagen erinnert mit seiner geschwungenen Form und seiner türkisblauen Farbe auch an einen Fisch – das Pendant zum Fisch in dem Kelch. Auch das restliche Outfit des Pagen wirkt verspielt, verträumt und kreativ. Rote Blumen auf blauem Grund, prunkvolle Puffärmel. Alles deutet darauf hin, dass der Page stolz zu seinen Gefühlen steht und ihnen mit Hilfe äußerer Impulse auf künstlerische Weise Ausdruck verleiht.

Diese Karte ist ein Aufruf an dich, deine eigenen Gefühle ernst zu nehmen und dich von deinen Impulsen leiten zu lassen. Schau oder besser gesagt fühl erst einmal genau hin(ein). Welchen Gefühlen begegnest du? Wenn da Trauer, Schmerz, Wut oder Angst ist – lass sie da sein. Wir neigen viel zu häufig dazu, diese Gefühle schnell wieder wegzustopfen, sobald wir sie wahrnehmen. Wenn du dich für die Impulse öffnest, die du von außen bekommst, und deine Gefühle in schöpferische Bahnen lenkst, können wundervolle Ergebnisse entstehen, mit denen du dir selbst und Anderen hilfst. Aus Wut, Schmerz und Trauer heraus sind bereits wundervolle Lieder, Gedichte, Bilder und Geschichten entstanden.

Genauso kannst du natürlich die Energie dieser Karte für alle Gefühle nutzen, die du gerne in deinem Leben hast: Liebe, Dankbarkeit, Freude und Zufriedenheit. Zeig diese Gefühle, so dass sie sich in der Welt verbreiten!

Der Page der Kelche – umgekehrt

Umgekehrt deutet der *Page der Kelche* Erschöpfung an, die durch den intensiven Kontakt zu deinen traurigen oder wütenden Gefühlen entstanden ist. Du hast dich darin verloren. Du kannst nicht aufhören, dich über etwas aufzuregen oder zu weinen. Vielleicht empfindest du auch Weltschmerz. Schmerz über die Grausamkeit von Vorgängen auf unserer Welt. Nachdem ich gelesen habe, welches Leid die Produktion von Milch bei Kühen verursacht, konnte ich mehrere Tage lang nur noch weinen. Leider ändert sich nichts, wenn ich deswegen depressiv im Bett liege. Mein Gefühlsmedium ist definitiv das Schreiben. Deswegen habe ich 2021 zum ersten Mal beim Veganuary mitgemacht und einen Blog geschrieben über dieses Thema.

Wie du mit dem Pagen der Kelche deinen Gefühlen Ausdruck verleihst

Der *Page der Kelche* lädt dich dazu ein, deine Gefühle künstlerisch und musisch auszudrücken. Ohne Angst oder den Gedanken daran, wie das Resultat werden könnte, es geht hier einfach nur um die Schönheit des Prozesses. Was ist dein kreatives **Gefühlsmedium**? Ist es ein Gedicht, eine Malerei, willst du vielleicht einen Song schreiben, musizieren, singen, frei schreiben, töpfern oder basteln?

Ritter der Schwerter

Jetzt ist die Zeit für:
Mutig für dein Herzensziel losreiten, Entschlossenheit, People pleasing stoppen, für dich einstehen, für Balance und Erdung sorgen

Alles in dieser Karte strahlt Schnelligkeit, Entschlossenheit und Mut aus. Der Ritter reitet geschwind auf seinem Pferd, das Schwert zum drohenden Angriff bereit. Sein Blick ist klar nach vorne gerichtet.

Wie du diese Karte für dich interpretierst, hängt von deinem Naturell und deiner Situation ab. Wenn es dir schwerfällt, Entscheidungen zu treffen und ins Handeln zu kommen, dich etwas zu trauen, ist die klare Botschaft an dich: Sei mutig! Mach! Denk keine Minute länger nach.

Anders sieht es aus, wenn du in letzter Zeit zu viel von dieser Ritter-Energie versprüht hast. Dann ist es Zeit, zu reflektieren. Wo hast du dich möglicherweise rücksichtslos verhalten? Wo hast du dich wie im Tunnelblick auf dein Ziel fokussiert und alle Anderen um dich vergessen? Wem bist du über den Mund gefahren oder wen hast du mit deinen direkten Äußerungen verletzt? Ein bisschen *Ritter der Schwerter*-Energie ist super, stelle jedoch sicher, dass du dich nicht konstant im Angriffsmodus befindest.

Die Schwerter repräsentieren das Element Luft und damit die Kommunikation und die Verbindung mit Anderen. Ich habe mich lange damit schwergetan, mich auf Social Media zu zeigen und über Tarot zu sprechen. Als ich jedoch die Entscheidung gefasst habe, endlich sichtbar zu werden mit meinem Instagram Account, haben sich so viele wundervolle neue Kontakte aufgetan, die mein Leben jeden Tag bereichern.

Der Ritter der Schwerter – umgekehrt

Auf dem Kopf steht diese Karte für übertriebenen Eifer und Rechthaberei. Du möchtest allen beweisen, wie viel du weißt und wie gut du bist. Warum glaubst du, dass das nötig ist?

Wie du mit dem Ritter der Schwerter ohne Zweifel für deine Ziele losreitest

1. Du weißt, was du wirklich willst, und hast gut darüber nachgedacht. Schließe einmal deine Augen, sieh dein Ziel vor dir und fühle die Freude, die in dir aufkommt, wenn du dir vorstellst, dein **Ziel** zu erreichen. Nun macht sich möglicherweise auch eine Angst breit. *Was werden die Anderen sagen? Kann ich das wirklich? Mache ich mich nicht lächerlich?* Mach dir klar, dass niemand Anderes so viel über dich nachdenkt wie du selbst. Du triffst deine Entscheidungen, um ein glückliches Leben zu führen, und nicht, um deine Nachbarn zufriedenzustellen. Und wer tratschen will, tut das so oder so. Und nun, reite entschlossen los in Richtung deines Herzensziels, tapfere*r Ritter*in! Ein **Malachit** kann dich bei deiner Mission unterstützen. Dieser tiefgrüne Edelstein hilft dir dabei, die Bedürfnisse zu erkennen, die du Anderen zuliebe lange unterdrückt und versteckt hast. Er ist außerdem ein Hilfsmittel, um klare Entscheidungen zu treffen und selbstbewusst zu handeln.

2. Damit du dich nicht verreitest und es mit der Ritter-Energie übertreibst, nimm dir bewusste Pausen, in denen du reflektierst. Frage eine ehrliche Person, die dich unterstützt, regelmäßig um Feedback. Auch die **Karten** werden dir die Wahrheit spiegeln, wenn du sie fragst.

Ritter der Münzen

Jetzt ist die Zeit für:
Deine Heimat finden, etwas Wertvolles für die Welt erschaffen, Andere an deinem Glück teilhaben lassen, Disziplin, regelmäßige Pausen

Der *Ritter der Münzen* geht in seiner Rüstung treu und diszipliniert seiner Arbeit nach. Sein Pferd steht fest und reglos am Boden. Ein Zeichen dafür, dass du dich zu Hause fühlst, wo du jetzt bist. Der gelbe Hintergrund strahlt eine tiefe Zufriedenheit aus. Das, was du gerade (beruflich) tust, erfüllt dich und macht dich stolz. Darum arbeitest du gern hart. Der *Ritter der Münzen* erschafft etwas Wertvolles mit seinen Händen. Es kann also sein, dass du beruflich oder privat an einem handwerklichen Projekt arbeitest. Auch ein Studium, dein eigenes Business sowie die Renovierung oder der Bau des eigenen Häuschens könnte hier gemeint sein. Was es auch ist – du wirst deine Arbeit nicht eher niederlegen, bis es in deinen Augen perfekt ist. Bei dieser Karte lohnt sich die harte Arbeit, weil du dir damit einen Mehrwert kreierst.
Die Schönheit in dieser Karte liegt in der Zufriedenheit, den Platz gefunden zu haben, der für dich Heimat bedeutet. In meinem Leben hat es lange gedauert, bis ich dieses Gefühl gefunden habe. Irgendwie wollte ich immer hinaus in die große weite Welt und dann doch wieder zurück dorthin, wo ich aufgewachsen bin – abwechselnd oder gleichzeitig. Mittlerweile habe ich meine persönliche Heimat gefunden: in einem Reihenhaus mit Gärtchen, meinem Traummann und meiner Katze. Das fühlt sich so wundervoll warm, geborgen und gemütlich an, dass ich manchmal gar keine Lust habe, das Haus zu verlassen.

Der Ritter der Münzen – umgekehrt

Dieser Ritter ist ja schon in der aufrechten Form nicht gerade für seine Bewegung bekannt. Stell ihn dir nun einmal auf dem Kopf vor. Sein Pferd ist weggelaufen, die Münze hat er verloren und er steckt mit dem Kopf im Boden fest. Hier geht es um eine Situation, in der du unzufrieden bist, ja gar unglücklich, und in der du den Kopf buchstäblich in den Sand gesteckt hast.

Wie du mit dem Ritter der Münzen Mehrwert in diese Welt bringst

1. Lass Andere an deinem Glück teilhaben – denn du kannst **Mehrwert** in die Welt bringen und damit Anderen dienlich sein. Wenn du das Bild einmal genau betrachtest, siehst du, wie der Ritter die strahlende Münze jemandem überreicht. Erhelle mit deinem eigenen Glück, deiner Zufriedenheit und deiner Schaffensfreude das Leben anderer Menschen und die Welt. Was könnte das in deinem Fall sein?

2. Eine schöne Möglichkeit, mit der du anfangen kannst, ist Anderen eine kleine Aufmerksamkeit zu schenken. *Do it yourself*-Geschenke kommen dabei ganz ohne den Konsumwahnsinn aus. Dann erschaffst du, so wie der Ritter, etwas mit deinen eigenen Händen. Vielleicht etwas Selbstgemachtes aus der Küche, etwas, das du gebastelt, genäht, gestrickt, gemalt, getöpfert ... hast. Wähle etwas, das dir selbst Freude bereitet beim Erschaffen, so dass deine Leidenschaft und Liebe in dieses Geschenk fließt.

Ritter der Stäbe

Jetzt ist die Zeit für:
Abenteuer, Spaß,
auf das Urteil Anderer pfeifen,
wild tanzen,
dein Leben feiern

Der *Ritter der Stäbe* ist ein JA zum Abenteuer. Er ist mutig, lebenshungrig, möchte was erleben und dabei Spaß haben. Die Meinung Anderer über ihn oder das, was er tut, interessiert ihn nicht. Das verleiht ihm eine ungebrochene Leichtigkeit und Lebensfreude.

Schau dir den Ritter einmal an: Er sitzt aufrecht und selbstbewusst auf seinem Pferd, welches kaum zu bändigen ist. Nichts hält ihn mehr zurück. Sein fröhlich-gelber Umhang mit den Feuersalamandern weht im Galoppwind und aus seiner Rüstung spucken die Flammen.

Diese Karte möchte dir ganz klar sagen: Komm aus dir raus und wage das Abenteuer! Was das für dich bedeutet, weißt nur du. Was lässt dich insgeheim brennen? Vielleicht möchtest du endlich diese Reise (allein) wagen, einen Job oder ein Studium im Ausland machen, jemanden ansprechen, der oder die dir schon länger gefällt, wild tanzen, auf einer Bühne auftreten, Karaoke singen, eine Rede halten ... Was ist dein Abenteuer? Was es auch ist, dein Feuer will gelebt werden! Hör auf, all das zurückzuhalten. Bring es nach außen, und du wirst dich unglaublich lebendig fühlen. Stürz dich ins Leben, feiere, flirte, reise und wage Neues! Nichts und niemand kann dich mehr aufhalten!

Der Ritter der Stäbe – umgekehrt

Was passiert, wenn du ständig *on the go* bist, immer dem nächsten Abenteuer hinterherjagst, exzessiv feierst oder immer auf Reisen bist? Es ist kein Platz für echte Bindung in deinem Leben. Oder wie Janis Joplin einst sang: *Freedom is just another word for nothing left to lose.* Während der aufrechte Ritter dich genau dazu aufruft, diese Leichtigkeit, Abenteuerlust, Spontaneität und Mut zu leben, ist die umgekehrte Karte ein Hinweis darauf, dass du etwas zu viel von dieser Energie in deinem Leben hast.

Wie du mit dem Ritter der Stäbe deine Lebensfreude und dein Selbstbewusstsein steigerst

Tanze frei und wild! Das ist der schnellste Weg, um die Energie der tänzelnden Feuerzungen in deinem ganzen Körper zu spüren. Dreh die Musik, die du magst, voll auf und lege los. Völlig unbeobachtet kannst du dich so ausgelassen und verrückt bewegen, wie du möchtest.

Spüre, wie dein Herzschlag pulsiert und dein Atem schneller wird. Fühle deine Freiheit, das Feuer und die ungezügelte Freude in dir! Du bist die pure Feuerenergie.

Ritter der Kelche

Jetzt ist die Zeit für:
Romantik,
deine Zuneigung ausdrücken,
aufmerksam zuhören,
Liebesrituale, kleine Geschenke

Diese Karte ist wohl die romantischste im Tarot und deswegen liebe ich sie so. Ich bin der festen Überzeugung, dass es deinen Alltag versüßt, wenn du dich deinen rosaroten Tagträumen hingibst. In Beziehungen ist eine Prise Romantik das, was die Schönheit eurer Verbindung beflügelt.

In dieser Karte steckt so viel Liebe zum Detail: Der Ritter trägt nicht einfach eine starre Rüstung, sondern sein Oberkörper wird von einem blauen Umhang gesäumt, auf dem rote Fische zu sehen sind. Sein Verdeck ist offen und sein Helm wird von Engelsflügeln geziert. Er sitzt aufrecht auf seinem treu ergebenen, edlen Schimmel. In seiner Hand trägt er einen goldenen Kelch. Was verbirgt sich wohl darin? Eine Herzensbotschaft oder ein Liebesbrief? Oder eine Einladung? Was es auch sein mag, der Ritter offenbart jemandem mit diesem Kelch seine Gefühle. Wer glaubst du, bist du in diesem Bild? Die Person, die beschenkt wird, oder der Ritter selbst? Du kennst dieses Buch mittlerweile – ich deute die Karten immer so, dass du in der powervollen Handlungsposition bist. Du hast dein Schicksal selbst in der Hand, wenn du jetzt der *Ritter der Kelche* bist. Wem könntest du mit einer lieben Nachricht, einem kleinen Geschenk oder einer Einladung eine Freude machen?

Dieser Ritter ist nicht protzig, sondern seine Romantik liegt in der Sensibilität, in den kleinen Aufmerksamkeiten. Diese kann sich auch in Hilfsbereitschaft oder aufmerksamen Zuhören äußern.

So kannst du diese Karte auch auf andere Beziehungen anwenden. Also, holde*r Ritter*in, reite hinaus in die Welt und verbreite romantische Traumenergie, Empathie und Höflichkeit!

Der Ritter der Kelche – umgekehrt

Auf dem Kopf gezogen steht diese Karte für Stimmungsschwankungen und Launenhaftigkeit. Deine Gefühlstiefe ist beneidenswert, nur bist du für deine Mitmenschen manchmal sehr schwer zu verstehen, weil sich deine Laune so schnell ändern kann. Das heißt nicht, dass du immer gut gelaunt sein musst. Aber es würde dir helfen, wenn du etwas findest, was dir aus einem emotionalen Tief schneller heraushilft.

Wie du mit dem Ritter der Kelche Romantik in die Welt bringst

Romantik hat ganz viel mit Zeit zu tun. Nicht umsonst heißt es, dass Zeit das wertvollste aller Geschenke sei. Echte Aufmerksamkeit und eine entspannte Atmosphäre können sich nur einstellen, wenn du diese Zeit jemandem schenkst. Vielleicht magst du jemanden zum Kaffee oder Tee einladen in ein gemütliches Café oder in dein kuscheliges Zuhause. Es gibt unzählige Möglichkeiten, deine Zuneigung auszudrücken, und du bist herzlich eingeladen, die Fülle der Möglichkeiten auszuschöpfen. Hast du Lust auf eine kleine Romantik-Challenge? Du kannst dir vornehmen, den Alltag einer lieben Person zu versüßen, und zwar nach dem Adventskalenderprinzip: Über einen Zeitraum von 24 Tagen bekommt diese Person täglich eine kleine Aufmerksamkeit von dir. Ich möchte dich hier ermutigen, nach Möglichkeit nichts zu kaufen, sondern dich auf liebevolle Botschaften und Taten zu beschränken.

Königin der Schwerter

Jetzt ist die Zeit für:
Abwägende Entscheidungen, Ehrlichkeit, verbindende Kommunikation, achtsames Zuhören, Konflikten offen begegnen

Die *Königin der Schwerter* ist die Königin der Ehrlichkeit und Entscheidungen. Sie ist geradlinig und zielstrebig und als Königin des Elements Luft auch eine Meisterin der Kommunikation. Sie sagt, was sie sagen möchte – ohne um den heißen Brei herumzureden. Trotz ihrer Direktheit wirkt sie nicht rüpelhaft – freundlich, aber bestimmt, lautet ihre Devise. Sie sorgt für Fortschritt in Prozessen und Projekten – sowohl in sich selbst als auch in Verbindung mit Anderen.

Ihre zielführende, deutliche Kommunikation ist ein Vorbild für die Welt. Viele zwischenmenschliche Konflikte ließen sich schneller lösen, wenn wir einander mit messerscharfer Aufmerksamkeit zuhören würden, um wirklich zu verstehen, was wir einander sagen wollen. Die gesprochenen Worte sind nur die Spitze des Eisberges. Was liegt darunter? Welche Gefühle verbergen sich hinter dieser Botschaft? Das Geheimnis liegt darin, sich darauf zu fokussieren, was unser Gegenüber wirklich denkt und fühlt, und am Ball zu bleiben, um zum Kern zu gelangen.

Wenn du also die *Königin der Schwerter* ziehst, ist es eine Aufforderung an dich, es ihr gleichzutun: Kommuniziere effektiv und direkt – sag, was du willst, und höre deinem Gegenüber aufrichtig zu. Manche Konflikte entstehen bereits im Schritt davor: Wir wissen gar nicht so richtig, was wir wirklich wollen. Mach dir bewusst, dass du nur richtige Entscheidungen treffen kannst, denn jede Entscheidung in deinem Leben bringt dich weiter und ist eine Erfahrung, die dich reicher macht.

Die Königin der Schwerter – umgekehrt

Auf dem Kopf gezogen ist diese Karte ein Hinweis auf Diskriminierung, vielleicht sogar Mobbing. Sie steht für einen verletzenden Umgang mit Worten und Sprache, das kann im direkten Kontakt sein, ebenso auf Social Media.

Wie du mit der Königin der Schwerter kraftvoll entscheidest und kommunizierst

1. Wenn du in eine Situation kommst, in der es dir schwerfällt, **Grenzen** zu setzen, nutze diese magische Fantasie: Stell dir vor, dass du von einem weißen, königlichen Licht umgeben bist, das dich beschützt. Es wirkt wie ein Schutzschild, das negative Energien von außen umleitet. In deinen Händen hältst du ein Lichtschwert – die Kraft deiner Worte und Entscheidungen. Du hast jetzt die Power, Nein zu sagen und die Entscheidung zu treffen, die sich für dich richtig anfühlt.

2. Übe dich im achtsamen **Zuhören**. Sei neugierig und stelle Fragen – und gib deinem Gegenüber viel Raum für Antworten. Achte in Gesprächen auch mal darauf, was du selbst als angenehm empfindest. Wie möchtest du, dass Andere dir zuhören? Unter welchen Bedingungen fühlst du dich von deinem Gegenüber ernst genommen?

Königin der Münzen

Jetzt ist die Zeit für:
Finanzielle Unabhängigkeit,
dein Business,
Bindungsängste auflösen,
Genuss, Liebe in dein Leben einladen

Die *Königin der Münzen* ist eine Frau, die mit beiden Beinen fest auf der Erde steht: Sie ist realistisch, strategisch, diszipliniert und fleißig. Sie ist finanziell unabhängig, hat vielleicht sogar ihr eigenes Business oder arbeitet in einer guten Position. Karriere: läuft. Im Idealfall handelt sie nach dem Motto: *Work hard, play hard* und sorgt als Ausgleich zu ihrem verantwortungsvollen Job gut für sich selbst. Sie kann gut mit Geld umgehen und findet hierbei das rechte, bodenständige Maß: weder übertriebener Luxus noch extreme Sparsamkeit.

Jedoch gibt es eine Kehrseite der Medaille, oder besser gesagt – der Münze. Ich werde das Gefühl nicht los, dass diese Powerfrau in ihrem roten Gewand sich einsam fühlt. Um zu verstehen, was der *Königin der Münzen* fehlt, habe ich diese Karte mit der *Herrscherin* verglichen. Beide sind starke Frauen und beide werden den bodenständigen Erdzeichen zugeordnet. Doch während die *Herrscherin* offen und selbstbewusst nach vorn sieht, schaut diese Königin hinab zu ihrer Münze. Ist sie verlegen? Nachdenklich? Oder gar traurig? Oder kann sie sich auf nichts anderes konzentrieren als materielles Gut, auf ihren Besitz, auf ihre Karriere?

Was möchte dir diese Karte nun sagen? Wenn du dich – teilweise oder ganz – in der *Königin der Münzen* wiedererkennst, hast du den finanziellen und karrieretechnischen Bereich deines Lebens wahrscheinlich gut im Griff. Dafür darfst du dich erst einmal anerkennen, denn du bist bewundernswert unabhängig.

Dennoch, oder gerade deswegen fühlst du dich vielleicht einsam. Dein Leben braucht ganz klar etwas weniger Arbeitseifer, Kontrolle und strenge Strukturen. Lade dir stattdessen mehr Genuss, Freude und Vertrauen in dein Leben ein und konzentriere dich stärker auf deine Beziehungen oder die, die du gern erschaffen möchtest.

Die Königin der Münzen – umgekehrt

Auf dem Kopf symbolisiert diese Karte Verlustängste. Du hast Angst, die Kontrolle abzugeben, und darum wagst du es nicht, weiterzugehen. Vielleicht bleibst du in einem Job, der dir nicht so viel Spaß macht, aber dessen Festvertrag dir ein sicheres Gefühl gibt.

Wie du mit der Königin der Münzen Unabhängigkeit und Verbindung vereinst

1. Schau dir auch einmal **die Karte *Die Herrscherin*** an und lies dir ihre Bedeutung durch. Was kannst du dir von der *Herrscherin* abschauen und von ihr lernen? Mach dir klar, dass du beides haben kannst: Du kannst eine starke, unabhängige, selbstständige Frau sein UND eine erfüllte Beziehung haben sowie deinen Mitmenschen vertrauen.
2. Zum Thema „**Bindungsängste auflösen**" gibt es wundervolle Bücher von der Psychologin Stefanie Stahl: *Das Kind in dir muss Heimat finden* sowie *Jeder ist beziehungsfähig*. Ich habe ihre Bücher verschlungen und konnte sehr viel für mich daraus mitnehmen. Außerdem möchte ich dir den Single Podcast von *Frag Marie* ans Herz legen – ich habe diesen Podcast rauf und runter gehört, als ich auf der Suche nach einem Partner war, und durfte sehr viel lernen.

Königin der Stäbe

Jetzt ist die Zeit für:
Andere inspirieren, dich auf die Sonnenblumen in deinem Leben konzentrieren, mit deiner Einzigartigkeit Herzen erobern, im Mittelpunkt stehen, deiner Intuition vertrauen

Die *Königin der Stäbe* verströmt eine wundervolle Energie: Sie ist selbstbewusst, leidenschaftlich, warm und freundlich. Ihr Charme ist einfach mitreißend. Verschlossene Türen öffnet sie mit Freundlichkeit, Herzen erobert sie mit der Wärme, die sie verbreitet. Die schwarze Katze symbolisiert ihre intuitive, magische Seite. Sie hat feine Antennen für all das, was um sie herum passiert. Doch trotz oder besser gesagt wegen ihrer feinen Antennen kann sie sehr gut mit negativen Schwingungen umgehen. Sie begegnet sich selbst und Anderen mit großem Verständnis – und wendet sich dann wieder ihren prächtigen, blühenden Sonnenblumen zu. Denn sie hat Wichtigeres zu tun: Ihre Welt mit großer Herzlichkeit, Kreativität und leidenschaftlicher Freude regieren. Ihre unabhängige und verspielte Seite (beide ebenfalls symbolisiert durch die Katze auf der Karte) kommt ihr dabei zugute. Eigenständig, ein bisschen neckisch und trotzdem verschmust, auch das ist die *Königin der Stäbe*. Ja, ich bin ein Katzenfan und nicht nur deswegen ein absoluter Fan der *Königin der Stäbe* (vielleicht auch wegen der Sonnenblumen?).
Diese Karte ist ein Aufruf an dich, mit deiner wundervollen, liebevollen und humorvollen Art die Welt zu erhellen. Mach Andere glücklich und inspiriere sie, einfach nur, weil du du selbst bist.

Die Königin der Stäbe – umgekehrt

Auf dem Kopf gezogen dreht sich das Universum der *Königin der Stäbe* zu sehr um sich selbst. Ihr fehlt dann die mitfühlende Wärme und sie handelt egoistisch, ist sehr auf ihr Aussehen und darauf, wie sie auf Andere wirkt, bedacht.

Wie du mit dem Charme der Königin der Stäbe Herzen eroberst

Kreiere deine persönliche **Queen Charming-Box:** Besorg dir eine Holzkiste oder einen Pappkarton, die du von außen kreativ in deinem Style gestaltest. Fülle nun deine *Charming Magic* hinein: schöne Fotos von dir, eine Liste mit Eigenschaften, die du an dir magst, und Symbole für all die Dinge, die dir Freude bereiten. Leg auch ein Bild von deinem Lieblingstier hinein. Öffne die Box zu jedem Vollmond oder wann immer du magst und verbinde dich mit deiner einzigartigen Persönlichkeit, deiner Leidenschaft und Lebensfreude.

Königin der Kelche

Jetzt ist die Zeit für:
Spiritualität, Empathie, menschliche Wärme in die Welt bringen, deine Verletzlichkeit zeigen, Abgrenzung

Diese Königin steht für die tiefe Verbindung zur Gefühlswelt. Es erscheint ein wenig mystisch, wie sie auf ihrem reich verzierten Thron sitzt. Ihr hellblaues Kleid geht fließend ins Wasser über und ihr Umhang mutet an, als sei er von Fischschuppen verziert. Ist sie etwa eine Meerjungfrau? Wir sehen nicht, ob sie mit den Füßen fest auf dem sandigen Boden steht oder ob sie gar keine Füße hat – möglicherweise liegt im Wasser ihre Schwanzflosse verborgen. Ich mag das verspielte Styling dieser Königin – ihre Flechtfrisur und die fließenden, pastellfarbenen Stoffe mit roten Details. Sie blickt voller Hingabe auf den prunkvollsten aller Kelche in diesem Kartendeck. Was wohl darin verborgen liegt?

Die *Königin der Kelche* ist voller Intuition. Sie kann komplexe Zusammenhänge psychologisch deuten und ist sich der Kraft des Universums, dem Gesetz der Anziehung bewusst. Sie weiß, dass das, was sie in die Welt hinausschickt, auch zu ihr zurückkommt. Sie steht in ständiger Verbindung zu ihren Gefühlen. Das, was sie auf die eine Art und Weise wahnsinnig mächtig macht (ihre besondere Sensibilität und seherische Gabe,) ist auf der anderen Seite ihr größter Fallstrick. Der Kontakt zur Gefühlswelt kann sie hochsensibel machen und zur Überforderung führen, da sie jedes ihrer Gefühle bemerkt und auch für Schwingungen in der Außenwelt sehr empfänglich ist. Wenn du die *Königin der Kelche* ziehst, ist deine Intuition dein goldener Wegweiser. Vertraue dir und deinen reichen Sinnesempfindungen.

Die Königin der Kelche – umgekehrt

Deine Gefühlswelt steht auf dem Kopf. Himmelhochjauchzend, zu Tode betrübt – du durchlebst das gesamte Spektrum der Gefühle in einer kurzen Zeitspanne. Deine Emotionen bestimmen dein Handeln – dadurch neigst du zu Kurzschlussreaktionen, vorschnellen Impulshandlungen und viel Drama.

Wie du mit der Königin der Kelche Mitgefühl lebst

1. Auch in dir schlummert eine magische **Meerjungfrau**. Um sie in vollem Licht erstrahlen zu lassen, mache diesen Zauber: Nimm einen Ring oder eine Kette mit Perlen oder Muscheln (werde, wenn du magst, selbst kreativ und bastle deinen Schmuck). Fülle ein Schraubglas mit Sand, ein wenig Salz und Wasser und lasse dein Schmuckstück (es sollte wasserfest sein) hineinsinken. Verschließe das Glas und schüttele es zwölf Mal kräftig. Stelle das Glas beim nächsten Vollmond nach draußen. Trage diesen Schmuck von nun an immer dann, wenn du dich wie eine Mermaid fühlen willst!
2. Du kannst auch eine helfende Tätigkeit ausüben. Die *Königin der Kelche* hat eine intuitive Verbindung zu **Tieren**. Vielleicht spürst du auch, dass du dich um ein Tier kümmern oder dich für das Tierwohl einsetzen möchtest.
3. Eine wunderschöne Methode, um in Kontakt mit dir selbst zu kommen, ist **Journaln**. Wenn du magst, kannst du dich hierbei auch noch kreativ ausleben mit bunten Farben, Fotos, Bildern oder Handlettering. Es ist besonders magisch, wenn du dein Journal mitnimmst zu einem Gewässer, zum Strand, einem verwunschenen See, einem plätschernden Bach.

König der Schwerter

Jetzt ist die Zeit für:
Dich für Frieden und Gerechtigkeit einsetzen, deinen Visionen vertrauen, selbstsicher deine Stimme erheben, Sachlichkeit, deine analytischen Begabungen fördern

Der *König der Schwerter* ist ein Botschafter für Frieden und Menschenliebe. Er trifft kraftvolle Entscheidungen mit seinem analytischen Verstand und seinem tiefen Sinn für Gerechtigkeit. In seinem fließenden, hellblauen Gewand sitzt er aufrecht auf seinem steinernen und dennoch reich verzierten Thron. Himmlische Symbole finden sich sowohl auf seinem Thron als auch in seiner Krone wieder: Schmetterlinge, Engel und sichelförmige Monde. Sein Schwert ragt in den Himmel und das obere Ende des Throns ist auf der Karte nicht zu sehen – alles weist darauf hin, dass dieser König die Verbindung zwischen Himmel und Erde darstellt.
Wenn du diese Karte ziehst, ist die Zeit gekommen, deine Träume und Visionen von einer besseren Welt auf die Erde zu bringen. Du bist jetzt gefragt, deine Stimme zu erheben für Frieden und Gerechtigkeit. Du kannst so viel bewirken, wenn du dich zeigst, anstatt dass du schweigst. Denk einmal nach: Wann vertraust du nicht auf dein Wissen und deine Fähigkeiten? In welchen Situationen bleibst du still, vielleicht aus Angst vor Aufmerksamkeit oder Konfliktscheu, obwohl du so viel Wertvolles zu sagen hättest?
Lass dich jetzt nicht von deinen Emotionen und Ängsten leiten, sondern geh in Kontakt mit deinem höheren, himmlischen Ich. Es weiß bereits, was zu tun ist, und wird dich leiten. *You are a visionary!* Wichtig ist, dass du dich jetzt sachlich äußerst und einen kühlen Kopf bewahrst, auch wenn die Situation chaotisch ist und die Diskussionen hitzig werden.

Der König der Schwerter – umgekehrt

Umgekehrt steht diese Karte für zu viel rationale Energie. Du bist momentan verkopft, in deinen Gedanken gefangen und dadurch unsicher. Durch dein analytisches Schwert bist du von deinen Gefühlen getrennt und wirkst unterkühlt und unnahbar auf Andere.

Wie du mit dem König der Schwerter dein himmlisches Ich lebst

1. Schließe deine Augen und atme ein paar Mal tief ein und aus. Lege eine Hand auf dein Herz und eine Hand auf deinen Bauch. Stelle dir eine Welt voller **Frieden** vor. Lass deiner Fantasie freien Lauf und male dir deine Welt in den buntesten Wasserfarben aus. Wie leben Menschen und Tiere zusammen? Was ist deine Aufgabe in dieser Welt? Wie könntest du mehr Frieden in unsere heutige Welt bringen? Öffne deine Augen und notiere deine Visionen. Welche Idee fühlt sich inspirierend und richtig an? Wie kannst du diese Idee auf die Erde bringen? Womit fängst du an?

2. Entwickle die analytischen und intellektuellen Fähigkeiten, die dich in deiner Vision weiterbringen. Gibt es lehrreiche Bücher, Studien oder eine **Weiterbildung** zu deinem Thema? Wenn du etwas Neues gelernt oder dein Wissen vertieft hast, raise your voice und lasse Andere teilhaben. Vielleicht, indem du einen Blog schreibst oder mit Anderen philosophierst.

König der Münzen

Jetzt ist die Zeit für:
Verantwortung übernehmen, Business- oder Familiengründung, den achtsamen Umgang mit dir feiern, Andere mit deiner Erfahrung unterstützen, Work-Life-Balance

Der *König der Münzen* ist verantwortungsbewusst, dennoch großzügig und voller Vertrauen. Er sitzt auf seinem Thron, welcher von vier Stierköpfen geziert wird. Der Stier ist das Tierkreiszeichen für Bodenständigkeit, den bewussten Umgang mit Geld, Fruchtbarkeit und den Genuss des Lebens. All dies findet sich auch in anderen Details der Karte wieder: Der Umhang des Königs ist von Traubenreben geziert, um ihn herum wächst und gedeiht alles. Er steht mit seinen Füßen am Boden und betrachtet seine Münze achtsam.
Wenn du diese Karte gezogen hast, repräsentiert sie dich oder deine derzeitige Lebenssituation. Durch deinen achtsamen Umgang mit materiellen Dingen hast du dir etwas Wertvolles aufgebaut: ein Zuhause, einen wichtigen Bildungsabschluss oder ein eigenes Business. Oder, wenn wir diese Karte außerhalb des materiellen Bereichs betrachten, kann sie auch die Gründung oder verantwortungsvolle, liebevolle Führung deiner eigenen Familie bedeuten. Was es auch ist – du kannst aus dieser Sache sehr viel Erfüllung schöpfen, auch wenn es manchmal anstrengend ist.

Der König der Münzen – umgekehrt

Umgekehrt kann der *König der Münzen* verschiedene Extreme bedeuten: Entweder liegt dein Fokus zu sehr auf den Münzen oder aber zu wenig. Im ersten Fall arbeitest du momentan zu viel, so dass deine anderen Bedürfnisse zu kurz kommen. Das andere Extrem dieser Karte ist, dass du zu wenig arbeitest. Du gehst den Weg des geringsten Widerstandes. Vielleicht bewegst du dich gerade auf ein Burn Out zu oder steckst bereits drin.

Wie du mit dem König der Münzen Vertrauen in deine Held*innenkraft gewinnst

1. Schreib eine Geschichte über deine eigene **Held*innenreise**. Schau auf dich zurück, heute vor 10 Jahren. Was ist seitdem alles passiert? Was waren deine größten Struggles und Herausforderungen? Wie hast du diese gemeistert? Welche Fähigkeiten hast du dadurch entwickelt? Wie kannst du deine Fähigkeiten und Erfahrungen einsetzen, um Anderen auf ihrem Weg zu helfen?

2. Gönn dir den beruhigenden, entschleunigenden und erdenden Effekt einer **Gehmeditation**. Gehe am liebsten barfuß durch die Natur und nimm deine Eindrücke bewusst wahr. Spüre, wie sich deine Gliedmaßen bewegen und deine Füße sich am Boden abrollen. Wie fühlt sich der Boden unter deinen Füßen an? Was siehst, hörst und riechst du? Wenn dir das ohne Anleitung schwerfällt, höre dir eine geführte Gehmeditation an.

König der Stäbe

Jetzt ist die Zeit für:
Den Lead übernehmen, Andere motivieren und empowern, dein Team anfeuern, mit Freude Fortschritt in die Welt bringen, Menschen loslassen, die dich klein machen

Der *König der Stäbe* ist der *Natural Born Leader*. Er übernimmt Verantwortung und empfindet dabei große Freude. Sein Führungsstil ist nicht konventionell und autoritär, sondern geleitet von einem positiven Bild der Menschheit: Er geht davon aus, dass jeder das Potenzial und die Motivation hat, sich weiterzuentwickeln. Er fokussiert sich auf Möglichkeiten, anstatt auf Begrenzungen. Er pflegt die Verbindungen mit seinen Mitarbeitern und weiß, wie wichtig Wertschätzung und Dankbarkeit ihnen gegenüber sind. Seine Mission ist es, der Welt etwas zurückzugeben, seinen Mitarbeitern ein gutes Gefühl zu schenken, sie zu empowern und wachsen zu lassen.

Das orangefarbene Gewand des Königs sowie sein gelber Umhang mit den Feuersalamandern verkörpern sein Selbstbewusstsein, seine Wärme und Kraft. Es spricht das Feuer aus dieser Karte, aus den Farben der Kleidung, den Symbolen auf dem goldenen Thron sowie der Krone. Der König blickt zur Seite, was seine Weitsicht und Kontrolle über die Situation symbolisiert. Der Feuersalamander auf dieser Karte steht für die gebändigte, dafür jedoch beständige Leidenschaft. Der König hat gelernt, das Feuer der Inspiration, Motivation und Menschenliebe konstant brennen zu lassen, sowie seine Stärken zu nutzen, um Verantwortung zu übernehmen.

Wenn du diese Karte ziehst, verkörpert sie wahrscheinlich dich! Und auch, wenn du diese Qualitäten bei dir selbst noch nicht siehst – du hast sie in dir. Welche Situation in deinem Leben ruft dich gerade dazu auf, die Führung zu übernehmen? Der magische Stab in deiner Königshand ist die Portion Vertrauen – in dich selbst und in dein Team. Du kannst diese Deutung auch auf außerberufliche Bereiche übertragen: Abhängig von deiner Fragestellung wirst du hier in deiner Beziehung, deiner Familie, in Freundschaften, in deiner Freizeit oder in deiner Selbstfürsorge dazu aufgefordert, die mutige Leaderin und für alle, die mit im Boot sitzen, ein inspirierender und motivierender Coach zu sein.

Der König der Stäbe – umgekehrt

Dem *König der Stäbe* auf dem Kopf ist Bewunderung und Aufmerksamkeit am allerwichtigsten. Ihm geht es in erster Linie um den *Fame* sowie um den Besitz von Luxusgütern. Es ist nicht einfach, sich das einzugestehen, aber du kannst ein viel erfüllteres Leben führen ohne diese Person, die dich klein macht und dir deine wertvolle Energie raubt.

Wie du mit dem König der Stäbe zur selbstbewussten Leaderin wirst

1. Zu welchen Themen bitten Andere dich gern um Rat? Wie hilfst du Anderen, ihre Probleme zu lösen? Mach dir eine Liste mit deinen persönlichen **Leadership-Eigenschaften**, die du aus den Antworten auf diese Fragen ableitest.
2. Mache ein **Lagerfeuer** zusammen mit den Menschen, die mit dir arbeiten oder die dich in anderer Form unterstützen. Philosophiert an der warmen, geborgenen und inspirierenden Atmosphäre über eure Talente und wie ihr diese gemeinsam als Team nutzen könnt.

König der Kelche

Jetzt ist die Zeit für:
Verständnis zeigen, gegenseitigen Respekt, etwas Wohltätiges organisieren, offen und vorwurfsfrei über Gefühle sprechen, gemeinsam Kartenlegen

Der *König der Kelche* ist das Symbol für Warmherzigkeit, Mitgefühl und Liebe. Geerdet auf einem Thron aus Stein sitzt er inmitten des tiefen, bewegten Meeres der Gefühle, in einer Hand einen goldenen Kelch, in der anderen sein Zepter. Er kann andere Personen annehmen, respektieren und lieben, wie sie sind, weil er dies auch mit sich selbst tut. Er ist mit sich selbst im Reinen und hat nur das Beste mit dir vor. Er gibt gern und tut Gutes. Ich zog den König einmal zusammen mit meinem Freund. Wir waren beide gerade in einer ratlosen Stimmung. Wie schon öfters hatten wir über das Zusammenziehen gesprochen. Er hatte ein Haus gekauft, kurz nachdem wir uns kennengelernt hatten, und war nun dort eingezogen. Da ich in einer kleinen Wohnung zur Miete wohnte, war der logischste Gedanke, dass ich zu ihm ziehe. Ich zögerte jedoch. Neben einem längeren Arbeitsweg von seinem Haus aus müsste ich auch die mir so behutsam wieder aufgebaute Unabhängigkeit aufgeben müssen. Meine eigene Wohnung war nach allem, was in der Vergangenheit passiert war, meine sichere Burg geworden. Doch durch das gemeinsame Ziehen der Karte passierte etwas Magisches. Noch bevor ich mir meiner Verlustängste bewusst wurde, sprach mein Freund diese aus. Er sagte mir, dass er all meine Sorgen und Zweifel verstehen könne und dass er mich zu nichts drängen wolle. Dann sprach er deutlich seinen eigenen Wunsch aus: „Ich fände es einfach nur unglaublich schön, wenn du zu mir ziehst." In diesem Moment wusste ich, dass er der *König der Kelche* in meinem Leben war: die Person, die mich vollständig akzeptiert, schätzt und das Beste für mich will. Mehr noch, ich erkannte in dem König auch mich, da ich meinem Freund ebenso offen und voller Mitgefühl entgegentrat.

Der König der Kelche – umgekehrt

Umgekehrt ist der *König der Kelche* jemand, der eine Verletzung mit sich herumträgt, die in unfähig macht, wahrhaftig zu lieben und aufrichtiges Mitgefühl zu zeigen. Wenn der *König der Kelche* dich selbst symbolisiert, verhältst du dich gerade einem Menschen gegenüber, der dir nahesteht, nicht sehr ehrlich. Welche alten Verletzungen trägst du mit dir herum, die dich daran hindern, voller Liebe und Mitgefühl zu handeln?

Wie du zum warmherzigen König der Kelche wirst

1. Am Beispiel dieser Karte siehst du auch, wie wundervoll es sein kann, gemeinsam die Karten zu Rate zu ziehen, wenn ihr gerade nicht so richtig weiterwisst oder eure Gedanken und Gefühle noch nicht klar formulieren könnt. Die Bilder der **Tarotkarten** verschaffen euch einen tieferen Einblick in eure innere Welt und besitzen die Kraft, auf diese Weise eure Kommunikation, Empathie und Verbundenheit zu fördern.
2. Nimm dir jedes Wochenende eine Stunde Zeit für dich, um die vor dir liegende Woche eigenverantwortlich zu gestalten. Frag dich: Was macht mich kommende Woche glücklich? Schreib deine spontanen Eingebungen in dein Journal. Schau dir dann die Mondenergien der kommenden Woche an. Durch welche Zeichen wandert der Mond? Welche Mondphasen herrschen? Überleg dir, was du mit Unterstützung des Mondes umsetzen kannst.

Literaturtipps zum Weiterlesen

Wundervolle Tarotdeutungsbücher

Noemi Christoph: *Tarot für Dich*, Königsfurt-Urania, 2. Auflage 2021
Hajo Banzhaf: *Tarot für Anfänger*, Königsfurt-Urania, 13. Auflage 2021
Lilo Schwarz: *Das große Tarot-Praxisbuch*, Königsfurt-Urania, 3. Auflage 2021
Michelle Tea: *Modern Tarot*, Harper Elixir, 1. Auflage 2017
Melissa Cynova: *Kitchen Table Tarot*, Llewellyn Publications, 4. Auflage 2018

Tolle Tarotspreads

Katharina Lucht & S. ROE Buchholzer: *Moderne Tarot-Spreads*, Königsfurt Urania, 1. Auflage 2022

Best of both Worlds – Tarot und Astrologie

Ernst Ott: *Astrologie mit Tarot*, Chiron Verlag 2005
Corinne Kenner: *Tarot and Astrology – Enhance your Readings with the Wisdom of the Zodiac*, Llewelyn Publications, 13. Auflage 2021

Im Einklang mit dem Mondzyklus leben

Yasmin Boland: *Moonology – Die Magie des Mondes: Wünsche verwirklichen und erfüllter leben mit der Kraft der Mondphasen*, Integral, 2020

Moderne Spiritualität und Psychologie

Laura Malina Seiler: *Mögest du glücklich sein – Entdecke dein Höheres Selbst und verbinde dich mit deiner inneren Kraft*, Knaur Verlag, 2020
Jay Shetty: *Das Think like a Monk Prinzip – Finde innere Ruhe und Kraft für ein erfülltes und sinnvolles Leben*, Rowohlt Taschenbuch, 4. Auflage 2020
Stefanie Stahl: *Das Kind in dir muss Heimat finden – der Schlüssel zur Lösung (fast) aller Probleme*, Kailash, 2015
Stefanie Stahl: *Jeder ist beziehungsfähig – der goldene Weg zwischen Freiheit und Nähe*, Kailash, 2017
Alexandra Reinwarth: *Das Leben ist zu kurz für später*, mvg, 1. Auflage 2018

Danksagung

Schon als Kind hab ich davon geträumt, ein Buch zu schreiben. Jedoch hab ich auf meinem Lebensweg diesen Traum nicht klar verfolgt, sondern durfte erst einmal viele Erfahrungen machen, die letztendlich in dieses Buch geflossen sind.

Ich danke all den wundervollen Wegweisern, Engeln und Unterstützern, die mich auf diesem Pfad begleitet haben. Ein fettes DANKE geht an Laura Malina Seiler – ohne deine insprierenden, bestärkenden Meditationen wäre ich wahrscheinlich gar nicht auf die Idee gekommen, meinen Traum in die Realität umzusetzen – hope to meet you one day! Ich danke dem Traummann an meiner Seite – Till, Danke für den Freiraum, den du mir gegeben hast, um dieses Buch zu schreiben, dafür, dass du dir all meine Visionen und Ängste immer geduldig anhörst und einfach für mich da bist. Ich danke meiner lieben Mama und meinen 3 Geschwistern André, Yvonne und Peter – danke, dass ihr mich immer wieder auffangt und nach anfänglicher Skepsis richtig krass an dieses Buch geglaubt habt. Danke auch an meinen Papa – wir haben nur einen kleinen Teil meines Lebens zusammen auf dieser Erde verbracht und doch weiß ich, dass du immer bei mir bist.

Danke an all meine Freund*innen, Kolleg*innen und Follower für eure Neugier zum Thema Tarot und euren Support. Danke an meine süße kleine Katze Marylin, die Zuhause stets an meiner Seite ist, um mich aufzuheitern. Last but not least ein riesengroßes Dankeschön an das tolle Team des Königsfurt-Urania Verlages, allen voran meiner lieben Lektorin Jennifer Lorenzen-Peth, dass ihr mir als unbekannte Autorin die Veröffentlichung meines Herzensprojekts ermöglicht habt.

Die Autorin

Anna Janssen entdeckte in ihrer frühen Jugend die Liebe zu Tarotkarten und zur Astrologie. Als fantasievolle, träumerische Optimistin schrieb sie schon als Kind Geschichten und kleine Bücher, die sie nicht zu Ende brachte.
Nachdem ihr Leben mit Anfang 30 aus den Fugen geraten war, begann sie, sich wieder intensiv mit dem Tarot von A.E. Waite & Pamela Colman Smith auseinanderzusetzen. Tarot wurde ihre Begleiterin in der schwierigsten Zeit ihres Lebens und half ihr, sich selbst wieder zu vertrauen. Aus ihrem Traum, Tarot für so viele Menschen wie möglich verständlich und zugänglich zu machen, entstand dieses Buch.
Anna wohnt gemeinsam mit ihrem Freund und ihrer Katze Marylin in Kalkar am Niederrhein. Sie schreibt an ihrer Doktorarbeit im Bereich Gesundheitspsychologie, beschäftigt sich vor allem mit der Positiven Psychologie und setzt sich aktiv für den Klimaschutz mit Fridays for Future ein.

@annalovestarot